ПТИЦА

ГЕОРГИЙ
ПОДЛЕССКИХ
АНДРЕЙ
ТЕРЕШОНОК

ВОРЫ В ЗАКОНЕ:

БРОСОК К ВЛАСТИ

ББК 67.99(2)116.2
П 44

Оформление художника
Ю. БОЯРСКОГО

Иллюстрации
П. ПИНКИСЕВИЧА

П $\frac{1203020100-65}{028(01)-94}$ без объявл.

ISBN 5-280-03056-2

ГЕОРГИЙ ПОДЛЕССКИХ
АНДРЕЙ ТЕРЕШОНОК

ВОРЫ В ЗАКОНЕ:

БРОСОК К ВЛАСТИ

МОСКВА
«ХУДОЖЕСТВЕННАЯ ЛИТЕРАТУРА»
1994

УВАЖАЕМЫЙ ЧИТАТЕЛЬ!

Книга, которую Вы держите в руках, повествует об одной из самых больших проблем нашей сегодняшней жизни — организованной преступности. Тема эта злободневна, и подобных книг может появиться и наверняка появится великое множество.

Но эта книга уникальна. Суть в том, что авторы использовали материалы, записанные со слов сотрудника КГБ, который по заданию Комитета был внедрен в криминальный мир и в течение ряда лет изучал его, что называется, изнутри.

Будьте уверены, он этот мир знает...

В России традиционно в отношении к преступившим закон смешивались любопытство и сочувствие, что, естественно, отражалось и в фольклоре, и в литературе. Примеров тому несть числа. Наверное, самый наглядный — «блатные» песни, которые с давних пор живут в народе.

С чем же связана эта очевидная и скорее всего не слишком оправданная романтизация уголов-

ного мира? Быть может, в этом проявлялся стихийный протест против тоталитаризма, традиционно царившего в России. Во всяком случае, подобного явления не наблюдалось в законопослушных странах Запада. Скажем, в той же Англии у благородного разбойника Робин Гуда и байроновского Корсара нет сегодня достойных наследников, а у Ваньки Каина в России есть, да еще какие!

Прочитав эту книгу, уважаемый читатель, Вы убедитесь, что современная наша преступность начисто лишена малейшего налета романтизма. Она прагматична и кровава.

Кто-то точно заметил, что преступность — своего рода зеркало общества. Рассказ об этом зеркале как раз у Вас в руках. Взгляните в него, и, как давно и мудро было сказано, «неча на зеркало пенять...»

Если сравнить общество с человеческим организмом, то преступность, существовавшая всегда, окажется неотъемлемой его составной частью. Нас десятилетиями убеждали в том, что на пути к светлому будущему преступность неуклонно уменьшается и вскоре вовсе исчезнет, ибо у нее не будет «социальных корней». Но, оказывается, несмотря на смену формаций и прочие перемены, преступность была, есть и — что очень прискорбно — еще долго будет существовать. С той лишь разницей, что на Западе у нее есть своя социальная пища (наркобизнес, проституция, порнография, игорный бизнес), а у нас она пронизывает абсолютно все слои общества — от коммерческого ларька до министерского кабинета.

Первая попытка дать объемную целостную картину сегодняшнего криминального мира — в этой книге. Многие наши друзья из самых добрых побуждений не советовали нам ее публиковать.

Почему?

В нас глубоко укоренен страх перед любой структурой, будь то государство или таинственный криминальный мир. Всегда лучше держаться подальше и знать поменьше.

Но как мы все устали от этого страха!

Должны же мы знать:

— можем ли честным напряженным трудом заработать достаточно, чтобы кормить семью и не быть ограбленным среди бела дня;

— можем ли прогуляться с любимой женщиной поздним летним вечером, не боясь нападения;

— можем ли спокойно отпускать ребенка в школу одного, не терзаясь тем, что он станет жертвой очередного маньяка...

Именно поэтому мы и решились издать эту книгу.

Она наверняка будет встречена неоднозначно.

Написанная на основе реальных событий, в которых участвовали реальные люди, она вряд ли может быть названа документальной в полном смысле этого слова. Конечно, в идеале хотелось бы все, о чем рассказывается в книге, проверить. Но, когда Вы закроете последнюю страницу, то поймете, почему это, увы, невозможно.

Однако в отношении наших авторов мы, говоря юридическим языком, принимаем своего рода «презумпцию невиновности» — они настолько глу-

боко знают материал, что просто не могут не писать правду. Уважая их, мы полагаем, что они имеют право на собственную оценку тех или иных государственных деятелей и событий.

...Впрочем, если вспомнить шутку бессмертных американских юмористов — «Не стреляйте в пианиста, он играет как умеет»...

ВОРЫ В ЗАКОНЕ:

БРОСОК К ВЛАСТИ

НЕСКОЛЬКО ПРЕДВАРИТЕЛЬНЫХ СЛОВ

Оперативные материалы так называемых компетентных органов, и в первую очередь — госбезопасности, хранятся в сейфах, откуда им одна дорога — в архив. И пока папки с грифом секретности не покроются толстым слоем пыли, их никогда не извлекают на свет божий. Понятно, что подобные «предания старины глубокой» интересны скорее историкам, нежели «людям дела».

А эта книга? По мере работы над ней приходилось делать к некоторым персонажам сноски: «погиб», «застрелен в упор». Книга писалась и впрямь по горячим следам...

«Государство в государстве» — не просто метафора преступного мира. Таково реальное положение вещей. И нетрудно представить себе мощь и возможности огромной империи, в которой приказы не обсуждают, а пуля служит разменной монетой. Чужаку проникнуть в это зазеркалье не легче, чем агенту иностранной разведки поступить на работу в Лос-Аламосскую научную лабораторию США. И все же существовала в Советском Союзе организация, которой были под силу столь тонкие, деликатные операции. Вопреки бытующему мнению КГБ занимался не только шпионами — чужими и своими — да диссидентами.

Многие факты стали известны благодаря оперативному работнику госбезопасности. Назовем его «капитан Малышев». Участвуя в операции по предупреждению террористических актов против высших руководителей государства, капитан Малышев был внедрен в преступную среду. Затем не один год «курировал» криминальные структуры на Среднем Урале. По долгу службы он тесно общался со многими ворами в законе.

Все это позволяет взглянуть изнутри на сегодняшний преступный мир, понять его механику; а с другой стороны — увидеть, как в действительности крутились шестеренки в чреве того сложнейшего механизма, который назывался Комитетом государственной безопасности СССР. Незадолго до своей ликвидации КГБ вступил в жестокую схватку с преступным миром... И об этом книга.

Еще одна грань. Хорошо известно, что время от времени за колючую проволоку попадают лица, которые близко стояли у кормила власти в союзных и автономных республиках, краях, областях. Увы, в борьбе за все новые привилегии они оказались менее удачливыми, чем их изворотливые и беспощадные конкуренты. Не удивительно, что иногда эти морально сломленные люди бывали разговорчивыми. А капитан Малышев давно научился слушать внимательно собеседника.

Открывалась такая картина... В целых регионах страны воры в законе имели не меньший вес, чем государственные структуры. Точнее, они и были своеобразным государством в государстве, стремительно распространяли свое влияние на новые и новые районы.

Разумеется, подобного рода вещи проверяются и перепроверяются с помощью независимых источников. Так и поступали. Вывод: сведения о растущем могуществе преступных авторитетов верны. Оставаясь вне контроля государства, воры в законе сами начинают контролировать государство.

И последнее. В книге излагается личное мнение капитана Малышева; вся информация предоставлена им; все события описываются так, как они ему виделись или представлялись.

Специфика материала такова, что, по понятным соображениям, не позволяет сказать больше, чем хотелось бы. Но то же своеобразие заставляет строго придерживаться фактов в изложении — подчас в ущерб строгим литературным канонам. Ведь речь идет о реальных лицах. Хочется думать, что отказ от «художественности» ради точности и объективности будет понят и принят читателями.

ПОДСТУП К ТЕМЕ

Тихая дача, за окном октябрь, серая сетка дождя. Иногда береза дотягивается до окна и скребет веткой по стеклу, словно просится в дом.

В комнате двое. У горящего камина в креслекачалке сидит, прикрыв колени пледом, старик, белый как лунь и такой сухопарый, что кажется, весит не больше птицы. Однако в каждом его жесте сквозила властность. Второй, ему лет сорок, примечателен по-своему. Тот, кто оказывался в опасной близости от работающего бульдозера, легко поймет, что имеется в виду. И в сочетании с этой угадываемой огромной силой кажется совершенно неожиданным умный взгляд, способный полоснуть точно скальпелем. Это — капитан Малышев.

Хотя их беседу не могла услышать ни одна душа, разговор ведется вполголоса и как бы с оглядкой на кого-то незримого. Говорит старик. Капитан почтительно хмыкает, согласно кивает, изредка вставляя несколько слов.

— Помню, помню, голубчик, твое сообщение.— И почему-то вздыхает.— А ведь ты, капитан, серьезно рисковал, когда первым информировал, что преступный мир готовит покушение на генсека.

— Это в 1986 году было.

— Да, именно тогда. Парадоксальность ситуации заключалась в том, что нам приходилось выводить тебя из-под удара не криминальных элементов, а председателя КГБ. Хотя...

Старик не заканчивает, а капитан опускает голову, чтобы скрыть промелькнувшую усмешку. Поведение председателя отличалось некоторыми особенностями, которые были хорошо известны собеседникам и уже не вызывали удивления.

— Никто не хотел верить в возможность подобного покушения. Но в мае 1987 года мы все-таки прихватили в Москве исполнителя запланированного убийства Теймураза Абаидзе. Акцию против Горбачева замышлял вор в законе Кучуури, авторитет из авторитетов. Но влияние, которым он пользовался, видно, не всех устраивало. Поэтому его собратья ввели ему в больнице через иглу трупный яд, и в 1988 году он скончался.

Капитан кивает. Трупный яд, взятый из разлагающихся останков кошки, действует безотказно и позволяет спрятать все концы в воду. Человек отдает богу душу в считанные дни и без каких-либо признаков насилия. Это чисто уголовный прием для устранения неугодных.

— Вообще-то Чебрикова понять можно,— старик разглаживает плед на коленях.— Кому охота вляпаться в эту грязь? По Москве разгуливает некий тип, который хочет «замочить» генсека... Веселенькая история! А какие круги и фигуры стоят за этим террористом, если потянуть за ниточку и размотать клубок до конца... Вопрос? Вопрос! А тут еще национальная окраска дела...— Старик засмеялся.— В нашей стране всегда горели на бабах, на водке, на письмах трудящихся и этом самом национальном вопросе. Короче, мы не стали по всей форме арестовывать Абаидзе, а негласно его задержали. Погутарили с ним без протокола. Он «раскололся» и согласился сам сдаться милиции... В этом ему помогли. Вернули предварительно выведенный из строя наган с удлиненным стволом, изъятый при задержании. Вывезли на улицу Горького и отпустили. Абаидзе на виду у милиционеров как бы случайно обронил револьвер, был арестован и объяснялся уже в МВД. Разумеется, он исчез за стенами «Матросской Тишины». Один только бог знает, что МВД с ним сделало, ведь он оказался в полной власти этого ведомства. Мне стало лишь известно, что Абаидзе заставили изменить показания, он наговорил на себя, а потом его вообще убрали. КГБ в этом не участвовал.

* * *

История с Абаидзе напомнила капитану Малышеву другую, в чем-то схожую. Азербайджанец Гусейнов — веселый, общительный, жуликоватый, но в основном по мелочам. Поздно вечером он позвонил оперработнику из службы безопасности, которого знал еще по совместной работе на гражданке. Просил о срочной встрече.

Оказалось, что он был втянут в весьма странную и жутковатую историю. Но главное в том, что среди главарей банды, настоящих садистов, с которыми его свела судьба, был высокопоставленный сотрудник республиканской Прокуратуры. Опер по данным Гусейнова подготовил подробную справку, естественно, доложил руководству. Начальство покрутило ее в руках, повздыхало (материалы были серьезные, и просто выбросить их в корзину, как это часто делалось в отношении сведений уголовного характера, не представлялось возможным) и порешило направить справку в 3-е Управление, а то, в свою очередь, «отфутболило» бумаги в УВД.

Спустя некоторое время Гусейнова арестовала милиция по какому-то надуманному обвинению, казалось бы, ему не выкрутиться, однако помогли родственники и его выпустили. Но механизм расправы был запущен и спустя месяц сработал — полуобгорелый труп Гусейнова нашли в небольшой роще за городом. Слишком уж много он знал, а главное — пытался что-то сделать. Да еще с КГБ связался. Преступный мир такого не прощает.

Преступный мир... Когда он впервые обратил на себя пристальное внимание КГБ?

В феврале 1980 года в Приемную Управления КГБ СССР по Москве и Московской области обратился гражданин, который отказался назвать себя. Это был мужчина около тридцати пяти лет, спортивного телосложения, с короткой стрижкой. Беседуя с дежурным офицером, визитер держался уверенно, но корректно. Причину своего обращения он объяснил коротко: желает оказать анонимное содействие в разоблачении крупной банды уголовников; банда, по словам заявителя, не только чинит разбой и совершает убийства на территории Москвы, главным образом приезжих с Юга, но и подготавливает террористические акты в отношении руководителей страны.

Сигнал о «центральном терроре» (так официально именуется информация о любых возможных актах насилия, направленных против государственных деятелей) требовал немедленной проверки, и в первую очередь — изучения анонима как первоисточника. Чтобы установить его личность, выявить возможные связи и адреса, была тут же подключена служба наружной разведки.

Заявитель, который поначалу в оперативных сводках проходил под именем «Волчка», долго плутал по улочкам в центре Москвы, пока не вывел на Сретенку, в маленькое уютное кафе.

В своих действиях госбезопасность всегда должна была учитывать «текущий момент». В те дни, спустя месяц после ввода советских войск в Афганистан, руководство КГБ было всецело поглощено наблюдением за южными границами Советского Союза. Была и другая «головная боль»: надвигающиеся Олимпийские игры.

Комиссию по подготовке к Олимпиаде-80 возглавлял первый заместитель министра МВД СССР Ю. М. Чурбанов, который косо смотрел на взаимодействие со службами госбезопасности. В его отношении к представителям КГБ явственно сквозили амбициозность, высокомерие, а порой и откровенная грубость. Министр МВД Н. А. Щелоков также не отличался большим тактом. Бывали случаи, когда Ю. В. Андропов, ожидая вызова к генсеку, часами просиживал в приемной. Щелоков же, появившись в приемной, свысока спрашивал у Андропова, на месте ли хозяин кабинета, и, не дожидаясь ответа, скрывался за массивной дубовой дверью.

Понятно, что натянутые до предела отношения руководителей двух «силовых» ведомств сказывались прежде всего на их работе. Как в таких условиях, например, проверять сведения о центральном терроре? Стоит только КГБ заняться уголовниками, как Щелоков тут же поднимет крик о недопустимом вмешательстве в сферу деятельности московской милиции. А тем временем в районных аппаратах КГБ Москвы уже скопилось немало тревожной информации об уголовных группировках в столице. С мест приходили материалы о том, что уголовники устраивают региональные сходы, на которых обговаривают все новые и новые источники доходов. В оперативных сводках все чаще стали появляться незнакомые многим сотрудникам понятия «воры в законе», «общак», «сходняк»... Тем не менее министр МВД Щелоков не уставал говорить о том, что с профессиональным преступным миром в стране покончено еще в пятидесятые годы.

Как тут быть? Противоречить всесильному министру, пользуясь непроверенной информацией, было бы безрассудно. Однако госбезопасность не обладала агентурой в уголовной среде, и никто из действующих сотрудников контрразведки не имел необходимых знаний. Нужна была помощь искушенных работников уголовного розыска. Но как ее запросить? Ведь обращение за поддержкой означало бы явную расшифровку интересов госбезопасности и грозило провалом планируемой операции. Поэтому, чтобы избежать мощного противодействия со стороны руководства МВД, следовало придерживаться строжайшей конспирации.

Фактически для работы по уголовным группированиям предстояло сформировать специальную оперативную группу опытных чекистов, которые должны быть готовы ко всему. Пришлось «девятке», которая обеспечивала охрану государственных деятелей, искать опору у генерал-лейтенанта А. Д. Бесчастнова, начальника 7-го Управления КГБ СССР; он имел в своем распоряжении тогда еще совершенно секретное подразделение специального назначения группы «А», известное сегодня как «Альфа». Его бойцы только что вернулись из Афганистана, проведя успешную операцию по захвату дворца Амина.

Трех человек в оперативную группу подобрал лично первый заместитель председателя КГБ СССР С. К. Цвигун. В обязанность этой тройки входила на основе полной конспирации оперативно-боевая работа, связанная с непосредственным оперативным соприкосновением с лидерами воровских группировок и их сподвижниками. Оперативники должны были не только вступать в личный контакт с объектами изучения и получать от них информацию, но и уметь дать отпор в случае нападения. Сочетать в себе те и другие качества может не всякий сотрудник спецслужбы. Люди же, которых подобрал С. К. Цвигун, обладали этими способностями в полной мере. Их умение завоевать авторитет в уголовной среде предопределило дальнейшие оперативные мероприятия госбезопасности.

Наружная разведка установила завсегдатаев кафе на Сретенке и выяснила, что вокруг «Волчка» собираются далеко не случайные люди. После этого напротив входа в кафе был срочно поставлен газетный киоск с продавцом из внештатных сотрудников КГБ, оборудовано место для скрытой фотосъемки, натянуты провода сигнального устройства для связи с базой. В киоске круглосуточно дежурил работник наружной разведки, который поддерживал связь с базой. Кроме того, в кафе был оборудован столик со специальным подслушивающим устройством.

После месяца оперативного контроля сотрудники госбезопасности имели в своем «досье» сотни эпизодов, подтверждающих высокую активность уголовного мира Москвы...

...Ограблена квартира богатого коллекционера. И начальник уголовного розыска одного из отделений милиции торгуется с вором в законе Лакобой из Абхазии, обсуждая, как лучше взять вора в законе Иванькова и повесить на него это ограбление. ...Известный киноактер получает в дар для своей жены от воров в законе, поклонников его таланта, краденую лисью шубу... А вот к кафе подкатил черный «зилок». Ответственный работник Совмина ходатайствует перед ворами, чтобы они пригрели его отпрыска, угодившего в зону...

Удивительно, что преступный мир сам открыто проявлял себя, и не где-нибудь, а в центре Москвы — в кафе на Сретенке была «шалмовка» (постоянное место гулянки) воров в законе. Видно, преступный мир настолько окреп, что ему стало тесно в подполье. Пора было выходить на свет.

«Волчок» оказался бывшим футболистом московского «Динамо», которого дружки звали «Валька Сухой Лист»; говорили, будто у него был коронный удар по мячу — «сухой лист». Отсидев в 60-х годах срок за злостное хулиганство, Валька Сухой Лист стал сподвижником «бродяг», как называли себя истинные воры в законе. Из прослушанного разговора стало известно, что в Приемную КГБ он пошел по договоренности с московским вором Толиком Черкасом. Цель — познакомиться с чекистами. Черкаса почему-то сильно заинтересовала деятельность Временного комитета по подготовке Олимпиады-80. Немаловажный для госбезопасности вопрос: откуда у профессионального вора этот живой интерес? Не готовит ли преступный мир какого-либо сюрприза к открытию Олимпийских игр в Москве?

Оказалось, ларчик просто открывался.

От своих осведомителей-милиционеров Черкас узнал, что в связи с подготовкой к Олимпиаде создана серьезная организация с особыми полномочиями, в которой КГБ играет не последнюю роль. Эта информация вызвала тревожное шевеление в рядах преступного мира: новый комитет не ширма ли для подготовки тотального преследования воров в законе неправовыми методами в преддверии Олимпийских игр? Так думал Черкас. Поэтому он и послал Волчка пообщаться с сотрудниками КГБ, поразнюхать, подсветиться в выгодном ракурсе и, бог даст, заручиться поддержкой, авось не тронут.

Но была и другая печаль-забота у Толика: его доходный промысел — рэкет на конных бегах — пострадал от конкуренции с бандой Лакобы, который не зря обосновался в гостинице «Советская» на Ленинградском проспекте. Может, с помощью КГБ удастся повесить на конкурента «мокруху»? В 1977 году именно люди Лакобы спалили гостиницу «Россия». Пожар, повлекший человеческие жертвы, произошел из-за ссоры при дележе черных ставок на бегах. Хотели кое-кого припугнуть маленько, а получился большой костер.

Вскоре у КГБ не осталось сомнений, что сведения о центральном терроре — всего лишь отвлекающий маневр. Вместе с тем оперработники были уверены, что Черкас располагает обширной, представляющей значительный интерес информацией. Следовательно, надо вывести его на прямой контакт с работниками госбезопасности. С этой целью пришлось поднять уголовные дела, по которым Черкас отбывал наказание. Важно было найти зацепку, нечто такое, чем КГБ якобы только что заинтересовался. Нельзя было дать понять Черкасу, что он вот уже месяц находится под колпаком. В конце концов нашли традиционный предлог для беседы: встречи Черкаса на пересылках с осужденными за антисоветскую агитацию и пропаганду.

На контакт с КГБ Черкас пошел на удивление легко. Конспиративные встречи с ним продолжались до июля 1980 года. Он многое поведал о реально существующем подпольном мире. После доклада материалов Андропов приказал все уничтожить, включая магнитофонные записи бесед, и контакт с Черкасом прервать. Причина? Возможно, руководству МВД стало что-то известно об операции. Но скорее всего сама информация была слишком «неудобной».

Черкас рассказал такое, что не укладывалось в голове. По его словам, в закавказских республиках создаются подпольные армии. Они активно вооружаются и, как принято говорить, повышают боевое мастерство. За ними стоят силы, которым нужна полномасштабная война. Республик с республиками, народов с народами. Только так «выразители и защитники интересов нации» могут прийти к власти и попытаться удержать ее.

Некоторые факты подтверждали эту информацию.

Из заявления осужденного, полковника милиции в отставке Базилевича Анатолия Федоровича: «КГБ Союза ССР и Узбекистана расследуется уголовное дело на большую группу руководящих работников и должностных лиц, совершавших особо крупные хищения и бравших взятки. В связи со сложившейся необходимостью убедительно прошу Вас поручить представителю Вашего отдела вызвать меня на личную беседу».

Во время беседы А. Ф. Базилевич (впоследствии реабилитированный) рассказал:

«Являясь начальником ОБХСС МВД Молдовы, я под видом отдыхающего выехал в Ереван, чтобы расследовать одно валютное уголовное дело. Мне удалось выяснить, по каким каналам переправляются валютные ценности из Молдавии через КПП Еревана за границу. Выходило, что сюда стекалась валюта со всего Союза. В переправке средств участвовали и сотрудники МВД республики. Об этом я подробно докладывал министру внутренних дел СССР Н. А. Щелокову. Однако он недвусмысленно предупредил меня, чтобы я не ввязывался в это дело, в противном случае даже он меня не сможет спасти. При этом Николай Анисимович пояснил, что мы давно проморгали Армению, там командуют «воры». При случае пошлет туда своего молодого зама для поддержки министра МВД республики Боталова, над ним сгущаются тучи за его письма о коррупции в милиции Армении. Первый секретарь ЦК компартии Армении Демирчян хочет от него избавиться.

Я старый оперативник, опыт мне подсказывает, что этому «молодому» заму Щелокова, Ю. М. Чурбанову, армянская «мафия» отомстила за то, что он поддержал и защитил Боталова в 1977 году».

Осужденный Гаджиев, работавший прежде участковым инспектором в одном из райцентров Нагорного Карабаха, сообщал о завозе из Армении вертолетами боевых снарядов для противоградовых установок, об организации тайников с оружием, сборе денег с тех, кто берет взятки, и переправке больших сумм в Армению.

Такого рода факты множились, росли как снежный ком и требовали немедленных действий. Однако к тому времени «практики» из службы безопасности страны, сталкиваясь во многих случаях с двусмысленным поведением своего высокого руководства, уже питали к нему глубокое недоверие. Через органы КГБ проходило огромное количество информации по линии уголовного розыска и БХСС. Но как реагировало начальство? «Наше дело — контрразведка, проинформируй милицию». Это в лучшем случае. А чаще так: «Подшей в дело или уничтожь, ментам ничего не сообщай — источника расшифруешь».

«Партнаборщики» в органах КГБ, которых отличало повышенное самомнение, привычка командовать «в общем смысле», дилетантизм, были связаны круговой партийной порукой. И профессионалы поневоле вынуждены были вести «двойную бухгалтерию». Иначе и дело изымут под тем предлогом, что запрещено вести оперативную разработку партийных и государственных деятелей, да и головы можно не сносить. Капитану вспомнился рассказ его коллеги из Казахстана Паши Кравченко. Паша получил и зарегистрировал агентурное сообщение о злоупотреблениях кого-то из окружения Кунаева, тогдашнего первого секретаря

ЦК компартии Казахстана. Пашу вызвали в кабинет начальника управления Никитина. «Ты что, хочешь партбилет на стол выложить?» — поинтересовался Никитин. «Нет, не хочу»,— ответил Паша. «Ладно,— сбавляя тон, произнес полковник Никитин,— порви это и в другой раз будь поумнее. Уже с капитанскими погонами, а все как пацан. Запомни — ты контрразведчик, а не сборщик всякого мусора».

Такого рода «щелчки» быстро отрезвляли идеалистов. Возможно, кому-то покажется малоправдоподобным, однако большинство молодых людей приводило на службу в КГБ отнюдь не желание защищать политический режим, а, скорее, наоборот,— надежда изменить ситуацию. Вспомните застойные годы: у власти дряхлые и безвольные старцы, кругом воровство и взятки (хотя и не в таких масштабах, как сейчас), милиция куплена. Таковы были реалии, которые невозможно было не замечать. Но была и вера, что причина кризиса не в социализме как таковом, а в его деформации и попрании принципов. Думалось, что главное — навести хотя бы элементарный порядок, смести высокопоставленных воров и коррупционеров, наладить необходимый контроль. И способен на это только КГБ. Эта организация представлялась молодым романтикам сверкающим, чистым и грозным островом в океане лжи и грязи. Однако очень многим из них пришлось пережить горькое разочарование.

КГБ застойных времен — это нечто невиданное в цивилизованном мире: спецслужба, которая боится собственной тени.

Началось это, видимо, в хрущевские времена, после разоблачения сталинщины. Затем новый импульс придал Ю. Андропов, стремясь создать привлекательный имидж госбезопасности. Он ввел даже такой корявый термин — «законопослушность» и начал соответствующую длительную кампанию. Задумывалось все с благими намерениями, но, как у нас водится, вскоре рубикон целесообразности был перейден. Рядовой опер — «соль земли» и основной пахарь органов — превратился в совершенно бесправный винтик. Надо же было додуматься! Оперуполномоченный — по сути и обязанностям главный организатор и исполнитель оперативных мероприятий — был вынужден каждый, даже самый мелкий свой шаг согласовывать с сонмом начальников. Дошло до того, что просто беглый оперативный опрос гражданина необходимо было санкционировать у начальника отдела, а то и выше. А до него еще дойти надо — посередине еще более мелкие начальники. В общем, как в детской игре в испорченный телефон. Хорошо, если не требовали составить план мероприятия, а уж отписаться по итогам беседы — святая обязанность.

Бичом КГБ стала многоступенчатость иерархии ответственности и сложная схема соподчиненности. Планка ответственности за принятие решений, даже самых мелких, поднималась все выше. В итоге оперативник был вынужден львиную долю своего времени тратить на пробивание и согласование необходимых оперативных мероприятий, подготовку и оформление многочисленных бумаг. По мере загнивания государства его спецслужба все больше и больше напоминала неповоротливого динозавра. КГБ зачастую просто не поспевал за событиями, и не потому, что его люди туго соображали. Причина в том, что любая свежая мысль и идея терялись в многочисленных бюрократических закоулках и тупиках. Большинство творческих начинаний, смелых задумок и блестящих предложений, исходивших снизу, гасились в плотном, инертном слое бюрократов. Под руководством партийных органов оперативные начальники в своей массе постепенно, но верно превращались в... трусов. Объяснить это можно было только тем, что законодательство не отвечало положению вещей. В своих действиях оперативники часто не могли опереться на закон. Это вело к усилению персональной ответственности руководителей, которую те, в свою очередь, стремились переложить на плечи вышестоящих начальников. В результате доходило до смешного: при острой ситуации некому было принять решение о проведении той или иной операции.

А мафия между тем набирала силу, наглела. Как сообщили источники, в 1982 году в Тбилиси состоялся съезд воров в законе, на котором, в частности, обсуждался вопрос о том, чтобы в перспективе прибрать к рукам политическую власть во всей стране. К тому времени структура органов власти в отдельных регионах уже стала, по сути дела, структурой мафии.

Проявившийся подход свидетельствовал о принципиальной смене стратегии подпольного мира.

Дело в том, что принцип невмешательства в политику был одним из краеугольных камней, на котором до недавнего времени зиждился преступный мир. Это видение своей роли воры в законе выработали в результате так называемой «сучьей» войны 1947—1953 годов, которая велась с такой неописуемой жестокостью, по сравнению с которой чикагские разборки 20—30-х годов — просто невинная детская игра «в ножички».

Однако в 1986 году преступный мир в очередной раз раскололся. Русские авторитеты, как правило разобщенные, отстаивали воровские традиции, в том числе и принцип невмешательства в политику. Словом, они хотели «играть по правилам». Одним из наиболее ярких представителей этой позиции был вор в законе Васька Бриллиант.

На другом криминальном полюсе выступали тесно сплоченные южные воровские кланы, которые попирали все традиционные устои и отнюдь не чурались политики. Страшный вывод, к которому пришли работники службы безопасности, объяснял этот феномен: за этими ворами стояли их республики, они опирались на всю мощь государственных силовых структур. Подобное обстоятельство ставило выходцев с Кавказа вне конкуренции в борьбе с русскими авторитетами, которые всегда действовали на свой страх и риск. Кроме того, преступный мир Юга мог использоваться для достижения далеко идущих целей. Недаром чеченский генерал Дудаев открыто похвалялся, что он в состоянии в любой момент поставить Россию на колени. Известны неопровержимые факты, свидетельствующие о подготовке чеченских боевиков на секретных базах специалистами из Саудовской Аравии. А беспрецедентное, прозвучавшее на весь мир июньское 1993 года заявление Джабы Иоселиани (бывший вор в законе, недавний министр обороны, одна из самых заметных фигур на политическом небосклоне Грузии) о готовности начать партизанскую войну в России (!), если она не будет выполнять требования грузинского правительства в связи с конфликтом в Абхазии?!

Сегодня можно с уверенностью говорить о стремительном развитии на Кавказе государственного терроризма. Он представляет собой серьезную опасность не только для России, но и для всей Европы, а также США. Есть веские основания полагать, что южные республики бывшего Советского Союза, а ныне независимые государства, в поддержке терроризма далеко «оставят за флагом» Ливию, Северную Корею, Иран, Судан...

* * *

— Ты меня совсем не слушаешь.— Старик наклонился к своему визави.

— Почему не слушаю? Вы сказали, что подготовка покушения на Горбачева — это первая глобальная операция преступного мира за всю историю СССР.

— Да, верно. Это свидетельство небывалой силы преступного мира. Акция была не просто местью за то, что председатель КГБ Грузии Инаури к тысяча девятьсот восемьдесят шестому году арестовал пятьдесят двух авторитетных воров в законе.

А вот это неверно, подумал капитан. Точнее, не совсем верно. Воры в законе великие мастера делать свои дела чужими руками. В данном случае они устранили преступных авторитетов с помощью КГБ. Сдали своих «боевых соратников» негрузинской национальности со всеми потрохами правоохранительным органам. Враз были проведены обыски и аресты, всех приговорили к длительным срокам заключения. Так что какая там месть! В эти сказочки о благородных разбойниках, мстящих за своих товарищей, может верить только тот, кто судит о нравах преступного мира по газетным сообщениям.

Похоже, старик сам понял, что выразился не совсем удачно.

— Перестройка, начатая Горбачевым в марте 1985 года, застала преступный мир врасплох. Сферы влияния были давно поделены, и такой воровской клан, как Кучуури, уже прочно смыкался с хозяйственной и бюрократической прослойкой. Были составлены и аккуратно велись списки руководителей, на которых можно опереться, в основном чтобы выбивать государственные фонды. Затем товары и продукты питания реализовывались по ценам черного рынка. Подобного рода операции давали такие сверхприбыли, которые даже не снились «крестным отцам» американской мафии, поскольку использовались государственные структуры. А тут Горбачев со своей перестройкой. Повсеместно начали создаваться хозрасчетные организации и предприятия с их внутренним контролем производителей за использованием ресурсов. Воровские кланы в Грузии зашевелились.

Когда же секретарь ЦК компартии Грузии Солико Хабеишвили организовал хозрасчетное движение в республике и создал хозрасчетные предприятия на транспорте, в сфере услуг, отдыха, торговле, а также по выпуску товаров народного потребления, мафия решила действовать.

Капитан молчал, слушая с полуприкрытыми глазами, как потрескивают пылающие поленья в камине.

— Я хорошо представляю себе, как нелегко сегодня приходится Шеварднадзе,— продолжал старик.— Он не один год был сначала министром внутренних дел, а затем председателем КГБ Грузии. Разумеется, знает о многих и о многом, что творилось в республике. Но, как реальный политик, он должен сотрудничать со всеми силами в Грузии, для которых превыше всего единство и независимость их государства.

Когда Шеварднадзе занял пост министра иностранных дел СССР, первым секретарем ЦК компартии Грузии стал Джумбер Патиашвили. Это назначение состоялось не без согласия председателя КГБ СССР В. М. Чебрикова.

Старик откинулся на спинку кресла.

— С созданием по инициативе Хабеишвили хозрасчетных предприятий были сразу перекрыты неучтенные каналы получения крупных средств. Патиашвили, прямо скажем, был от этого не в восторге. Но он не мог без обиняков предложить Хабеишвили отказаться от хозрасчетного движения, поскольку того поддерживали члены Политбюро Рыжков, Воротников, Капитонов. А Хабеишвили, будучи честным человеком, и вообразить не мог, что он замахнулся на источники доходов крупных воров в законе в Грузии.

Между прочим, к твоему сведению, сам Джумбер Патиашвили был посаженым отцом на свадьбе вора в законе Кучуури и еще в тысяча девятьсот восемьдесят втором году, в трудное время смены власти в стране, принял предложение воровского съезда противодействовать начинаниям Андропова в наведении порядка и борьбе с коррупцией. Уже тогда была достигнута принципиальная договоренность, что он займет пост первого секретаря ЦК компартии республики.

Капитан взял кочергу и помешал ею в камине.

— Насколько я понимаю, путь Хабеишвили был один — в тюрьму,— негромко произнес он.

— Ну разумеется. Благо, что преступный мир уже распространил свое влияние на прокуратуру и МВД республики. Так что в июле тысяча девятьсот восемьдесят пятого года Солико Хабеишвили арестовали по обвинению во взяточничестве. Показания о получении им взяток дал бывший первый секретарь райкома партии в Сигнахском районе Бучукури, арестованный по наводке людей вора в законе Кучуури. Видишь ли, этот партийный деятель не соизмерил свои аппетиты в получении похищенных средств с нуждами воровского общака. А если проще, мало отстегивал.

Ранее Бучукури участвовал в компрометации Патиашвили, с тем чтобы преступный мир имел средства для его вербовки, распространял слух, будто в районе собрано с теневых дельцов сто тысяч рублей для передачи Патиашвили. Но все это не понадобилось. Патиашвили оказался сговорчивее, чем предполагали воры в законе, и сам проявил инициативу в получении крупных сумм.

Воры в законе, как ты знаешь, большие доки по части интриг. Они сообщили Патиашвили, что Бучукури пытался его скомпрометировать, и предоставили ему с помощью ложных показаний Бучукури возможность расправиться с Хабеишвили.

Весь аппарат следствия и тюремные администраторы получили строжайший приказ: запугать Бучукури расстрелом, если он не даст вымышленные показания на секретаря ЦК компартии Грузии Солико Хабеишвили о взятках от хищений в Сигнахском районе. Показания Бучукури дал под диктовку тогдашнего прокурора Грузии Размадзе и вскоре был выпущен на свободу.

Дождь за окном усилился, слышно, как он шумит. Кажется, во всем мире льет дождь и дует пронзительный ветер. Трудно поверить, что где-то сияет солнце и беззаботно улыбаются люди.

— Ты спросишь, голубчик, откуда мы все это знали?

Капитан хотел ответить, что догадывается, но промолчал.

— В преступном мире действовали не только ты и твои люди. Такие же группы мы внедрили в окружение воров в законе в Грузии, Армении, Молдавии, Узбекистане. Дезинформация исключалась, так как сведения, поступавшие из одних источников, перепроверялись с помощью других. Например, твоя группа передала информацию, полученную от авторитетов преступного мира, что председатель КГБ Армении причастен к махинациям, связанным с организацией выезда за рубеж криминальных элементов, и о его возможной связи с ЦРУ. Очень хорошо. Эти сведения уточнялись с помощью другой группы, задействованной в Армении. И можешь мне поверить, нам удавалось находить доказательства, пусть не полностью подтверждающие первичную сигнальную информацию, но свидетельствующие о недобросовестности того или иного должностного лица. Конечно, мы избавлялись от таких людей.

Однако информация, касающаяся Грузии, стоит особняком. Хотя бы потому, что в этих материалах прогнозировались все те трагические события, которые впоследствии разыгрались в республике. И сегодня мы имеем то, что имеем. Сначала было явное предательство Патиашвили 9 апреля 1989 года, которое привело к кровопролитию на площади в Тбилиси. Затем первый грузино-абхазский конфликт и война воровских кланов под видом межнациональной розни. После этого последовало отречение Шеварднадзе от поста министра иностранных дел и его громогласное заявление на съезде депутатов о надвигающейся диктатуре. «А ларчик просто открывался». Шеварднадзе почувствовал, что пора брать власть. И наконец, эта кровопролитная гражданская война на Северном Кавказе...

— А что Хабеишвили? — спросил капитан после затянувшейся паузы.

— Его приговорили к пятнадцати годам лишения свободы в колонии усиленного режима. Нам известно, что над ним издевались. Подсаженные в камеру уголовники жгли ему ночью спичками пятки. Следователи склоняли дать показания, компрометирующие членов Политбюро.

— И вы ничего не могли сделать?

Старик сердито засопел.

— Ничего, представь себе. Грузинские власти упорно держали Хабеишвили в Грузии, боясь этапировать его на Урал в спецзону для отбытия наказания, ведь сведения о преступных интригах в таком случае могли просочиться на самый верх. А мы для его освобождения, естественно, не могли использовать оперативные данные, поскольку это поставило бы под удар наши секретные источники.

Да, секретные источники, подумал капитан. Святая святых. Как профессионал, он прекрасно понимал старика.

— И все же нам удалось добиться того, чтобы срок заключения Хабеишвили был сокращен с пятнадцати до восьми лет.

— Что такое восемь лет по сравнению с вечностью? — задумчиво протянул капитан.

Старик остро взглянул на него.

— Очень остроумно. Можешь мне поверить на слово, что нам это стоило больших трудов.

— Верю, верю.

Старик потянулся, достал с каминной полки и начал листать свой служебный дневник, который вел еще с тех пор, когда руководил одним из секретных подразделений КГБ СССР. Зашифровывая записи в дневнике, старик прибегал к китайской символике.

— После того как высшее руководство КГБ локализовало акцию воров в законе против Горбачева, исполнителем которой должен был стать Абаидзе, у меня не осталось сомнений, что мафия прочно оседлала некоторых работников бюрократических инстанций, прежде всего прокуратуру, МВД, и достаточно легко могла содействовать принятию выгодных для себя решений со стороны государственного руководства.

Казалось, старик утомился. Он достал носовой платок и промокнул выступившую на лбу испарину.

— Я не хочу сказать, что все государственные деятели были поголовно куплены, нет.— Старик протестующе поднял ладонь: — Боже упаси. Просто наше удивительное простодушие, доверчивость, граничащие с преступной халатностью в принятии решений, подтачивали власть изнутри. А противник всякой государственной власти — преступный мир, наоборот, был деятелен и коварен.

Старик горько усмехнулся.

— Могу поспорить, что я тебя сейчас удивлю.

— Это вы можете,— хмыкнул капитан.

— Так вот, лидеры преступного мира знали

все, что делается в кабинете Горбачева. Люди, близкие к высоким инстанциям, за дешевую импортную косметику, шмотки, угощения, не говоря уж о крупных подношениях в виде машин, дач, квартир, могли продать любую информацию, которой они располагали по роду своей работы. Речь не шла о государственных секретах. Так, по большому счету, мелочь. Но курочка, как известно, по зернышку клюет, а сыта бывает.

— Считайте, что вы меня удивили.

— Но до полной катастрофы тогда еще не доходило. При помощи ваших законспирированных групп мы взяли под контроль авторитетов известных преступных сообществ: на Дальнем Востоке вора в законе Джема, на Урале Хасана, в Центральной России Иванькова, на Северном Кавказе Сво. Мы не стремились к тому, чтобы немедленно «повязать» их. Пусть себе гуляют до времени под нашим присмотром. Задача ставилась иначе: получать достоверную и регулярную информацию об источниках нелегальных доходов, о чиновниках, которых мафия пытается втянуть в свои сети, об акциях против государства и правоохранительных органов. Ваши группы должны были сформировать на местах общественные структуры из числа честных предпринимателей, чтобы коллективно противостоять массовой уголовщине и рэкету, насилию. Органы правопорядка, городская власть призваны были действовать по единой программе борьбы с преступностью, в которой главными звеньями были (старик говорил по памяти, загибая при каждом пункте палец):

а) административный оперативный контроль над воровскими авторитетами, лидерами уголовных группировок, изоляция их от молодежи, обычных правонарушителей в специально отведенных местах лишения свободы;

б) сокращение уголовной среды за счет декриминализации незначительных правонарушений, пересмотра уголовных дел с признаками незаконного осуждения, создания современной пенитенциарной системы;

в) отработка надежного финансового контроля;

г) защита кооперативного сектора от рэкета силами местных органов самоуправления;

д) отладка и запуск единой информационной системы по преступности;

е) изучение условий выработки специального законодательства об организованной преступности;

з) создание независимого органа по борьбе с организованной преступностью.

Старик отдышался, прежде чем продолжить.

— Эта программа привела бы к уничтожению условий для формирования преступных сообществ по регионам страны, полному контролю над преступными группировками и их развалу, устранению рэкета. И, что немаловажно, был бы создан надежный барьер на пути проникновения организованной преступности на Запад.

— Между прочим, бывший министр безопасности Баранников обвинил западные спецслужбы в использовании наших доморощенных мафиози,— осторожно заметил капитан.

— Смотря что он имеет в виду. Запад постепенно осознает опасность экспансии «нашей» организованной преступности. И я думаю, в ближайшие годы будет вынужден пойти на все, чтобы только остановить ее, вплоть до воссоздания «железного занавеса». А посему прикармливать наших мафиози ему нет резона, особенно если речь идет о банальном рэкете. Другое дело крупный коррупционер... Такая дичь, пожалуй, стоит внимания. Тем более что и компрометирующую ситуацию специально создавать нет необходимости. Он как бы сам отдается: «Вот я, берите меня тепленького». И дальше проще. Условия ведь изменились. Сегодня можно обойтись без всяких там шифров, радиосеансов, тайнописи и прочих рисковых-уликовых штучек.

«Старик прав, опять прав»,— подумал Малышев. Ему вспомнились беседы «за рюмкой чая» с друзьями из отдела контрразведки. «Ты посмотри на наш околополитический бомонд, на эту дешевую тусовку,— кипятился Серега Теплов из Московского управления.— Они же толпами по посольствам шастают, ни одного приема не пропустят, халявщики. Даже перед греками, мексикашками стелются как подстилки. Про американцев уже не говорю».

Старик закашлялся.

— Подай мне воды,— попросил он.

Капитан поднялся, подошел к столу посреди комнаты и налил в стакан минеральной воды из бутылки с французской наклейкой. Старик отпил глоток, кивком поблагодарил, капитан принял из его рук стакан и поставил его на каминную полку.

— С каким разочарованием я смотрю на сегодняшнюю службу безопасности,— вздохнул старик.— Сплошные метания между кабинетом президента и МВД. Карьеристы всех мастей, которые сегодня правят бал, превратили госбезопасность в прислугу сиюминутных политических интересов.

Старик достал платок и промокнул губы.

— Реальность нынешних дней снова и снова убеждает меня в том, что в конце восьмидесятых КГБ встал на верный путь борьбы с мафией. И мы пытались делать все, чтобы убедить мир: опасность, угрожающая цивилизации, исходит вовсе не от СССР или КГБ, а от мафии и терроризма. Мы даже направили двух генералов КГБ Ф. Щербака и В. Звезденкова в Калифорнию для участия в закрытой конференции со старшими сотрудниками ЦРУ, на которой обсуждались методы борьбы с терроризмом.

Пауза затянулась.

— А потом начался дележ власти между Ельциным и Горбачевым и свел все наши начинания на нет. Окончательно нас добил развал Союза. Это имело целый ряд последствий. Одно из них: Запад очутился лицом к лицу с российским преступным миром. И, видит бог, я не завидую Западу. Так и хочется сказать: «Вам, господа, не нравился СССР, который давно перестал быть «империей зла», так получите уголовное государство, получите мафию, торжествующую на обломках великой державы!» Когда воры в законе, а это время не за горами, начнут контролировать выборы сенаторов и президента США, Запад поймет, чего ему стоила эта победа.

— Так-то оно так. Но сейчас, сказать по правде, у меня о другом голова болит,— вздохнул Малышев.

— Да? То-то я примечаю, ты сегодня квелый какой-то. Выглядишь как побитая собака.

— Форма соответствует содержанию,— усмехнулся Малышев.

— Не тяни давай. Стряслось что-нибудь?

— Я вам рассказывал о деле «Старатели». Не забыли?

— Может, и забыл чего. Напомни.

— Ну, как говорится, в один прекрасный день вызывают меня к Черному генералу...

ЗОЛОТО

Когда капитан Малышев прибыл в расположение «объекта», его уже ждал Черный генерал (так звали за глаза командира «Вымпела»[1]). Протянув Малышеву шифртелеграмму, коротко сказал: «Читай».

«...Нами во взаимодействии с органами МВД (орган и подразделение опускаются) в интересах дела групповой оперативной разработки «Старатели» планируется комплекс оперативно-боевых мероприятий по обнаружению мест нелегальной добычи платины и золота (место проведения операции опускается), а также установка и задержание лиц, осуществляющих нелегальную переправку драгметаллов в Молдову и Армению. С этой целью предлагается направить в наше распоряжение оперативно-боевую группу «Вымпел» в составе пяти человек для реализации намеченных мероприятий».

Разведывательно-диверсионная группа под командованием капитана Малышева, готовясь к действиям в горно-лесных условиях, не раз проводила в тех местах учения. Поэтому район планируемой операции был хорошо знаком Малышеву[2].

---

[1] До августа 1991 года — специальное подразделение КГБ СССР, действовавшее в составе ПГУ (Первое главное управление) — внешнеполитическая разведка.

[2] В то время опытные оперработники территориальных органов КГБ проходили оперативно-боевую подготовку в учебном центре — на курсах усовершенствования офицерского состава при Первом главном управлении. Прошедшие подготовку оперативники часто привлекались для проведения специальных операций. Например, для захвата дворца Амина в Афганистане.

— Людей подберешь сам,— сказал Черный генерал.— Возьми двух надежных радистов, которые хорошо знают матчасть новой радиостанции дальней связи. Действовать будете автономно, поддерживая связь с Центром по кодированному радиоканалу. Подумай, какое возьмете вооружение и экипировку. На подготовку личного состава, матчасти и изучение группой материалов операции даю три дня. С вами будет работать куратор.

Ровно через трое суток группа капитана Малышева погрузилась в Ил-76 на аэродроме под Москвой и взяла направление на восток.

Район приземления выбрали за 25 километров от основного квадрата, в котором наметили вести поиски. Предварительно досконально изучили местность, по ВЧ-связи попросив здешних коллег дать исчерпывающую информацию, вплоть до уровня воды в водоемах — на случай, если кто угодит в «лужу». Прыгать же желательно на покосы, здесь их море.

Малышев проверил включение радиопередатчика «сбор на командира», прилаженного к запаске, ощупал плотно закрепленную на боку деревянную приклад-кобуру пистолета Стечкина. Перебрал по памяти, что в каком кармане комбинезона разложено (карта, сигареты, спички в водонепроницаемом футляре, фонарик, аптечка, сухари, патроны, нож разведчика...). Жить можно, даже если грузовой парашют не раскроется, а такое случается нередко.

Из кабины пилотов вышел командир экипажа. Нагнувшись к Малышеву, прокричал в плотно закрытое шлемом ухо: «Через пять минут покидаете борт». Малышев в ответ: «У вас один выпускающий, а надо в две двери выходить: разброс будет меньше».— «Какие проблемы, на первой двери встану выпускающим я». Малышев довольно кивнул.

Группа разделилась. Зуммер. «Первый пошел»,— скомандовал выпускающий. В лицо бешено ударил порыв воздуха. Малышев отсчитал, как положено, пять раз «501» и дернул за кольцо. Порядок!

ИЗ СООБЩЕНИЯ АГЕНТА «ВОЛЬФ»:

Находясь по вашему заданию в Москве, источник провел встречу с изучаемым вами объектом К. Из его квартиры поехали в известный вам офис западногерманского представительства в районе трех вокзалов. Там источник был представлен гражданину ФРГ некоему господину Кальникову, который в свое время эмигрировал из СССР. В прошлом Кальников являлся ведущим специалистом по переработке доменного шлака. В настоящее время возглавляет одно из отделений западногерманского банка (название опущено). Из беседы стало понятно, что Кальников живо интересуется непромышленными месторождениями золота и платины. Он также настойчиво расспрашивал о специалистах-геологах, которые сталкивались с залежами черного мрамора в известном вам районе.

Один из руководителей представительства по имени Дитрих (приметы опускаются) достаточно бесцеремонно вмешался в наш разговор о месторождениях. Он положил ладонь на карту и, сделав несколько пояснений по поводу участия Германии в развитии региона, сказал: «Нужно добиться того, чтобы эта часть России была нашей .

Кальников, который был не вполне уверен в моей «благонадежности» и потому старался выражаться осторожно, даже покраснел от такой откровенности. Разговор, однако, не прервался. Источник рассказал о существовании нелегальных бригад старателей, раскрывающих старые шурфы в тайге. Это сообщение заинтересовало германцев. Источнику предложили стать компаньоном фирмы — в том случае, если удастся создать старательскую артель, а также наладить контакты с областной и пригородной администрацией.

Путь следования группы был разработан еще на базе, и электронная память прибора GPS (приемник с графическим изображением движения по маршруту на экране в виде диаграммы; имеет банк данных на 500 точек маршрута и 50 углов курса; определяет все основные навигационные параметры и параметры движения) фиксировала все отклонения от него. Экран размером с сигаретную коробку высветил микросхему маршрута. Высветившиеся на экране географические координаты Малышев перевел по памяти в прямоугольные и торопливо взял карту. Пробежав глазами по срезу карты, линейкой соединил две точки и присвистнул: «Вот так сюрприз!» Через минуту группа узнала, что их сбросили в сорока километрах от планируемой точки приземления. Теперь — топать до села Куры. Там предстояло отыскать «Голубя», которого территориальная контрразведка определила группе в помощь. Обслуживающий район младший опер КГБ, Толя Зайцев, сказал «Голубю», что на днях толкнутся к нему мужики, хотят, мол, побродить по тайге, поохотиться; нужно приветить их и показать места, какие скажут. Да «Голубю» долго объяснять не требуется. Сразу смекнул, что к чему.

Агент этот был не из робкого десятка. Жил на самой окраине села. Иногда оказывал помощь беглым зекам, давал им лодки, чтобы переправиться вниз по течению реки, не забывая при этом сообщить о «гостях» участковому милиционеру. Дружил с расконвойниками с лесоповала, потчуя их самогоном. Чекисты тоже время от времени наведывались к нему. Для него это были любимые «сыночки». Он с гордостью называл себя «Голубем» и с достоинством давал расписки о врученных ему 10—20 рублях из скудных средств, проходивших по статье сметы расходов КГБ.

На рассвете, отдохнув и запасшись съестными припасами, которыми поделился гостеприимный «Голубь», группа капитана Малышева двинулась к притокам таежной реки. К полудню достигли цели, устроили со всеми мерами предосторожности базу и начали прочесывать квадрат за квадратом. Проходили дни, а результатов — ноль. Нашли два старообрядческих схрона, несколько начатых и брошенных шурфов. Следов же промывки грунта не было.

Наконец один участок привлек внимание оперативников. Поисковые пары несколько раз пересекли зимник с довольно свежей и обкатанной колеей. Участков леспромхоза в этих местах не было, покосов тоже. Решили понаблюдать за зимником, сделав на повороте завал. Первые сутки прошли безрезультатно, на вторые — послышался натужный рев двигателя. Вскоре показался «Урал» с теплым фургоном армейского образца.

Четверо человек, среди них водитель, вышли растащить завал. Увидя, что порубка свежая, стали настороженно вглядываться в густой лес.

— Побегушники, что ли, шалят? — спросил один.

— От жилья зеки не побегут,— ответил второй.— Скорее менты что-то пронюхали, а?

— Откуда им здесь взяться, ментам? Мы же ехали через поселок леспромхоза, там все тихо, лишних людей не было, в Курах тоже. А если бы какие легавые сюда навострились, Ипполитыч из УВД нам бы цинканул.

Его поддержали.

— Куда ментам в такую глухомань? Им бы только баб драть и водку трескать. Тайга не для них. А если сунутся, мигом комары живьем сожрут. Ишь как роятся, спасу нет. Давай вытряхивай бомжей из кузова, пусть завал разбирают.

— А не разбегутся?

— Куда тут побежишь, ты подумай, дурья голова, тайга ведь кругом.

Из фургона послышалось: «Начальник, выпусти поссать». Другой голос — как бы в ответ первому: «Какой он тебе начальник, тюльку травил, не видишь, что ли, педерасты, псы поганые, семью кормильца лишили».

Двое, рыча от злобы, кинулись к фургону. Открыли дверь, распахнули ее пошире и начали выкидывать из фургона, как ветошь, замызганных и исхудавших людей, всего шесть человек. Затем повалили на землю одного несчастного и принялись топтать его. Бедолага взвыл и, захлебываясь кровью, начал хрипеть. Этих двоих, озверевших от вида крови, едва оттащили компаньоны: «Убьете, придурки, сами будете на прииске землю грызть». Бомжей погнали растаскивать завал. И вскоре «Урал» медленно прополз мимо по глинистой колее.

После происшедшего у оперативников не оставалось никаких сомнений в существовании тайного прииска, на котором мыли золото или платину. «Менты поганые», как звали сами оперативники милиционеров-предателей, под любым предлогом арестовывали бомжей; потом их тайно переправляли на прииск, на земляные работы. Под страхом пытки и смерти они перекидывали сотни кубометров грунта. А старатели его промывали.

Теперь оставалось выйти к прииску и вычислить тех, кто транспортировал добытое золото или платину.

Зафиксировали номер автомашины, засняли фотокамерой все увиденное и записали на «Лилипут» то, что было слышно из разговоров.

Зная направление, без особого труда нашли и прииск. Он разместился в седловине меж двух вершин: несколько хижин, натыканных вдоль горного ручья. На склонах гор копошились люди; они на тележках по деревянным желобам, как по рельсам, спускали к ручью грунт, и здесь его промывали в лотках. На горах чернели плешины срезанного мха, необходимого для процеживания песка. В бинокль можно было заметить белую кучу, зачем-то наваленную у самого ручья. Как потом оказалось, это был известняк. Гашеную известь сливали в шахту, куда сбрасывали трупы бомжей, погибших от голода и непосильного труда.

Группа Малышева не имела права вмешаться и повязать современных рабовладельцев. Перед ней стояла задача скрыто все установить, зафиксировать и дать возможность оперативным и следственным службам проследить тайные нити, связывающие нелегальный прииск со скупщиками драгоценного металла.

Из материалов оперативной разработки, длившейся вот уже пять лет, Малышев знал, насколько могущественны те силы, которые контролируют операции с золотом. В 1986 году, например, 6-е Управление КГБ СССР получило серьезную информацию о хищениях золота и его переплавке на комбинате «Североникель». Расследование дела было поручено специально созданной группе, возглавляемой старшим следователем следственного управления МВД СССР Мартыновым. Можно себе представить, интересы каких верхов были задеты и как велико оказалось сопротивление заинтересованных инстанций, если скоро группу расформировали, а самого Мартынова уволили из органов внутренних дел. И даже КГБ, понимая, что на этом деле можно шею сломать, не решился действовать открыто, а предпочел, следуя своей глубоко традиционной манере, обходные пути. В данном случае была подключена газета «Социалистическая индустрия», которая с безрассудной храбростью бросилась разоблачать махинаторов. И едва жива осталась...

ИЗ СООБЩЕНИЯ АГЕНТА ОРГАНОВ МВД «АРТЕМОВА»:

...В 1982 году начальник ОБХСС УВД Одессы Малышев (конечно, это однофамилец капитана М. А. Малышева) с группой оперативников изъял 10 килограммов контрабандного золота, предназначенного для вывоза за рубеж. После этой операции началась его целенаправленная компрометация. Чтобы настроить против Малышева прокурора Одессы Зимарина, его квартиру по

наводке местного преступного мира ограбили и подбросили «неопровержимые» доказательства, что грабители являются членами созданной Малышевым банды. Чтобы наверняка изолировать активного сыщика, подключили и местное управление КГБ. На основании недостаточно проверенных данных начальник отделения УКГБ УССР Бобовский заводит в отношении Малышева дело оперативной проверки с окраской — измена родине в форме подготовки бегства за границу. И вскоре после этого за Малышевым захлопнулись двери следственного изолятора. Преступный мир вчистую переиграл государство!

ИЗ РЕШЕНИЯ КОМИТЕТА ПАРТИЙНОГО КОНТРОЛЯ ПРИ ЦК КПСС:

Комитет партийного контроля при ЦК КПСС рассмотрел результат проверки поступившего в октябре 1987 года в Комитет заявления бывшего начальника отдела БХСС УВД Одесского горисполкома т. Малышева А. В. о необоснованном исключении его из партии, увольнении из органов внутренних дел, возбуждении против него уголовного дела по сфальсифицированным материалам. В решении КПК при ЦК КПСС отмечается, что предъявленные т. Малышеву обвинения являются несостоятельными.

Из органов внутренних дел т. Малышев был уволен в октябре 1984 года без достаточных оснований. Уголовное дело против него возбуждено по указанию прокурора Одесской области т. Зимарина В. И. в августе 1984 года по непроверенным заявлениям трех старших продавцов винных магазинов. Малышев около двух лет содержался под стражей. Необъективная информация о т. Малышеве была включена старшим инспектором Инспекторского управления МВД СССР т. Аслахановым А. А. в докладные записки руководству министерства. Проверкой также было установлено, что в результате бесконтрольности со стороны т. Аслаханова работниками возглавляемой им бригады были допущены противоправные действия в отношении ряда сотрудников милиции г. Одессы. Всего необоснованно было осуждено около 80 (!) сотрудников милиции.

Комитет партийного контроля при ЦК КПСС поручил Одесскому обкому Компартии Украины, парткомам Прокуратуры СССР и МВД СССР рассмотреть вопрос об ответственности других работников, допустивших нарушения социалистической законности и недобросовестное исполнение служебных обязанностей при расследовании уголовного дела в отношении т. Малышева.

ИЗ СООБЩЕНИЯ АГЕНТА МВД «ЦЫБУЛЬСКОГО»:

...В мае 1978 года мной был установлен контакт с Н., продавцом магазина «Ауреол», расположенного на улице Ленина в Кишиневе. Н. рассказала о гражданке по имени Клавдия, которая систематически сдает большие партии золота (изготовленные серьги, кольца). Клавдия оказалась супругой секретаря ЦК КП Молдавии. Золото поступает в слитках из Сибири некоему Минцу, работнику райзаготконторы в Новых Аненах. Тот

организует через ювелиров-подельщиков изготовление золотых изделий, которые затем сбываются продавцами магазина «Ауреол». Минц хотел передать взятку в размере 50 тысяч рублей начальнику БХСС Молдавии Болдину. Тот, однако, арестовал Минца, изъяв несколько килограммов золота в самодельных монетах. Болдин арестовал также Шамеса, который был связан с Минцем по совместным махинациям с меховыми изделиями в Бельцах. Обычно торговля золотыми изделиями организовывалась через магазины, где работали евреи. Например, такая торговля была налажена в универмаге, где директором был Мандель. Часть контрабандного золота переправляется по отработанному каналу в Ливан через КПП Еревана.

Болдин решил организовать проверку-ревизию в магазине «Ауреол», но его предупредили по телефону держаться подальше от операций с золотом. Звонила инкогнито Лариса Семерунник, отсидевшая срок. Позже по заданию своих хозяев она пыталась вступить в интимные отношения с заместителем председателя Совмина Молдавии. Он отверг эти притязания, и Семерунник неоднократно угрожала по телефону, что скоро его арестуют. Действовала она по заданию прокурора Щербака, который использовал ее как агента по высокопоставленным лицам: Семерунник имела красивую внешность.

СПРАВКА В ОТНОШЕНИИ ЩЕРБАКА

15 ноября 1968 года Щербак, заместитель председателя КГБ республики по кадрам, на заседании бюро ЦК КП получил партийное взыскание;

рекомендовано отстранить его от занимаемой должности. Указано, что Щербак с конца 1943 года и до окончания оккупации работал на хозяйственных должностях. Факт этот скрыл.

В 1970 году Щербак был назначен прокурором. По данным конфиденциального источника К. Н. Н., выполнявшего задание советской разведки на территории, оккупированной румынами, Щербак до ноября 1943 года неоднократно появлялся в районе в форме офицера сигуранцы. После войны в беседе с прокурором Калашниковым солгал, что во время войны работал в советской разведке. Калашников организовал проверку Щербака. При этом жители района опознали в Щербаке офицера сигуранцы.

В 1975 году Калашников по сфабрикованному делу был осужден к 10 годам лишения свободы. В 1980 году был убит в ИТК-13 Нижнего Тагила.

СПРАВКА О ПРОВЕРКЕ ОСУЖДЕННОГО БОЛДИНА

В связи с арестом и последующим осуждением работника мехового комбината в г. Бельцы Шамеса и бывшего сотрудника БХСС Бызгана, вступившего в преступную связь с мафиозной организацией, их сообщниками организована компрометация Болдина, ранее занимавшего должность начальника ОБХСС МВД республики. Компрометация была осуществлена с помощью гражданки Глижинской, которая заявила о том, что Болдин якобы вымогал у нее взятку в размере 22 тысяч рублей. На основании этого заявления Болдина арестовывают. Следователем по делу назначается родственник Шамеса старший следователь прокуратуры г. Одессы Бельский, который вел расследование с обвинительным уклоном. Позже, в 1985 году, Бельский принимает активное участие в расследовании сфальсифицированного уголовного дела против начальника ОБХСС Одессы Малышева.

В результате «расследования» и судебного разбирательства Болдин приговаривается к 8 годам лишения свободы в колонии усиленного режима.

При проверке Бельского выяснено, что в мае 1943 года, пользуясь упрощенным порядком получения документов в госпиталях Советской Армии, он изменил отчество с Моисеевича на Михайловича. В последующем скрыл судимость. В Центральном архиве Министерства обороны в документах Военного совета фронта о снятии судимости с военнослужащих, отличившихся в боях с фашистами, Бельский Александр Михайлович и Бельский Александр Моисеевич не значатся.

Установлено, что ордена, которые носил Бельский А. М., принадлежат погибшим военнослужащим: орден Красной Звезды № 629758 и орден Красной Звезды № 453884 вручены сержанту А. Г. Тарасову, орден Красного Знамени № 106836 вручен сержанту К. Т. Пенькову. Бельский также незаконно присвоил и носил ряд медалей. Не нашли подтверждения автобиографические данные Бельского об окончании в 1939 году Киевского пехотного училища.

Из решения судебной коллегии по уголовным делам Верховного суда СССР от 27 января 1988 года: «Приговор судебной коллегии по уголовным делам Верховного суда Молдавской ССР от 11 января 1984 года в отношении Болдина Анатолия Федоровича отменить и дело производством прекратить. Болдина А. Ф. из-под стражи освободить».

3 февраля 1988 года за воротами зоны Болдина встретили сотрудники наружной разведки КГБ, чтобы отвезти его в аэропорт Кольцово и передать родственникам.

* * *

Разговор по телефону с Черным генералом был короток.

— Вы засекли место?

— Так точно.

— Добирайтесь до территориального управления, откуда вас отправят в Москву. На месте представите подробный письменный отчет.

Что и говорить, то были радостные дни...

* * *

— И что дальше? — спросил старик.

— Дальше...— Малышев достал из кармана и развернул лист бумаги.— Это выписка из официального документа. Цитирую: «По данным Прокуратуры СССР и МВД СССР, информация, поступившая из КГБ СССР, о фактах нелегальной добычи драгметаллов в указанном районе не нашла подтверждения». Понимаете? Не нашла. Вот так...

— Дай-ка.— Старик долго вглядывался в текст, как будто хотел что-то вычитать между строк.— Я этого ожидал,— сказал он, возвращая бумагу.

— То есть как? — опешил Малышев.

— Ну, выразимся мягче. Не слишком удивлен таким поворотом событий.

— Не слишком удивлены? — Малышев не верил собственным ушам.— Я, битый, закаленный опер, был потрясен, когда прочитал вот это.

— Но я-то не опер, чтобы потрясаться! — раздраженно возвысил голос старик.— И по сравнению с тобой мне чуть больше известно о шестеренках, которые крутятся внутри механизма нашего замечательного государства.

— Это точно,— кивнул Малышев.

Старик бросил на него подозрительный взгляд.

— Иронизируем?

— Боже упаси!

— Все серьезные преступления,— негромко заговорил старик,— например, как это дело «Старатели», обнаруженные на стыке инстанций, топятся самим нашим государственным устройством. Каждое ведомство — это суверенное государство. МВД плевать на результаты, полученные в КГБ; прокуратуре ненавистна даже номинальная независимость судов. Поэтому дельцы высшего полета, зная границы компетенции ведомств, могут безнаказанно совершать любые «фигуры высшего пилотажа».

— Иногда я чувствую себя никчемной пешкой в бездарной игре.

— Хорошо, если иногда. Иногда — это нормально.

— А знаете, как многие мои коллеги называют свою работу? Потешная контрразведка.

Старик взглянул на часы и встал.

— На Урал? — спросил суховато, подавая на прощанье руку.

— На Урал.— Малышев улыбнулся.— Скучаю по зоновской братве.

ЗОНА. «КАРТИНКИ С ВЫСТАВКИ»

Подъехав к КПП зоны, капитан Малышев, как обычно, ощутил легкий озноб. Ему было не по себе от предстоящего посещения колонии строгого режима. Железные, лязгающие двери шлюза... Там, за ними, начинается нечто совсем отличное от того, что позволяет человеку чувствовать себя человеком. Может быть, самое страшное, что досталось нам в наследство от сталинских времен,— это тюрьмы и лагеря. Здесь ты или кровожадный зверь, или дрожащая тварь, которую в любой момент могут превратить в животное, загнать в петлю. Мало тех, кому в условиях нашей, отечественной неволи удается оставаться людьми.

С ненавистью дернув на себя железную дверь КПП, Малышев вошел в узкий проем с зарешеченным шлюзом. Нажал кнопку звонка, проведенного в караульное помещение. Автоматический засов с лязгом отворил решетку. Поздоровавшись с сержантом-якутом, показал пропуск. Якут приветливо улыбнулся:

— А, товарищ капитан, опять в гости...

Малышев чертыхнулся про себя и как можно веселее протараторил:

— В гости, в гости, брат.

Захлопнув внутреннюю решетку шлюза, Малышев, как обычно, взглянул в окно, из которого открывался вид на территорию охраняемой зоны.

Он хотел проверить, дежурит ли дневальный из осужденных на дверях при входе в штаб. Обычно, прежде чем войти в штаб, Малышев успевал переброситься несколькими короткими фразами с дневальным, дать сигарет и увидеть в глазах зека немую благодарность, которая красноречивее любых слов. Зек поделится сигаретами с товарищами, бросит часть на общак и сегодня будет избавлен от нахлобучек «смотрящего» уголовного авторитета в отряде. Такой вот праздник у мужика... Но сегодня у Малышева было иное настроение. Спустившись по ступенькам к входу в зону, он решительно толкнул дверь и широким шагом направился к штабу.

Дневальный, издалека заприметив Малышева, засуетился. Выждав немного, направился навстречу, чтобы за несколько секунд переговорить и получить привычный гостинец. Однако Малышев, не придержав шага, коротко бросил: «Зайдешь ко мне в комнату». Дневальный вытянулся и растерянно протянул: «По-ня-ял».

В кабинете начальника оперативной части ИТК Сердюкова сидели оперативные работники — лейтенант Галкин и майор Михеев. Как всегда, по чашкам был разлит крепкий чай, заваренный позековски, в пепельнице полно окурков.

Сердюков встал, приветливо протянул руку и, не дожидаясь вопросов, стал докладывать:

— Утром, едва рассвело, прибежал дежурный помощник начальника колонии и сообщил, что на промке (промышленная зона) на изготовленных ночной сменой снарядных ящиках написаны призывы к осужденным «вешать ментов» и прочее в таком же духе. Галкин уже сделал снимки надписей, пленка проявлена, сохнет. А Михеич опросил бригаду и бригадира, нагнал на них жути. Продукция, мол, будет арестована, поскольку испорчена, наряды бригаде не закроют, а если добром не приведут «писателя», то все будут наказаны. Зечки призадумались, но виду не подают, что знают, кто написал. Наверняка кто-то из ночной смены. Я подтянул к себе осужденного Зеленского из «чертей» (уголовный авторитет, причисляющий себя к преступному миру), тот обещал потрясти своих «жучков» в отрядах. Пусть послушают, что говорят о «диверсии». Можете с ним встретиться. На контакт с сотрудником КГБ он пойдет, так как «безбожник», ему бы только брюхо набить да почифирить.

Пользуясь обычным гостеприимством «младших братьев» (так называют себя соотрудники МВД, имея в виду, что «старшие» служат в госбезопасности), Малышев налил из кипятильника почти черную жидкость, морщась, попробовал.

— Ну и гадость же вы пьете.

Галкин подхватил:

— Гадость не гадость, а в чувство приводит, когда голова кругом идет от зоновской тошниловки. Зеки ведь не зря чифир хлещут, он спиртягу заменяет. Выпьют, глядишь, и веселее им стало.

Малышев выпил половину стакана и облизал губы.

— Да, может, в этом что-то и есть. Чувствую, мотор набрал обороты,— похлопал себя по груди. И добавил уже другим тоном: — Ладно, пойдем поработаем, посмотрим на ваши ночные художества.

Войдя на территорию промышленной зоны в сопровождении Галкина, Малышев заметил, как осужденные, толпившиеся возле груды ящиков, моментально куда-то исчезли. Остался только бригадир, который нетерпеливо переминался с ноги на ногу.

— Что нам будет, гражданин начальник? — обратился он к подошедшему Малышеву.

— Тюрьма тебе будет, Волков! — рявкнул в сердцах Галкин.

— Да брось, начальник, понты гнать, от тюрьмы тюрьмой не пахнет.

Стремясь прекратить неожиданную перепалку, Малышев указал на надписи и как бы про себя заметил:

— Да, люди делали, делали ящики, а теперь их только в топку. Кого сейчас удивишь этой дешевкой? По нынешним меркам просто хулиганство какое-то.

Волков достал портсигар, предложил Малышеву «Приму». Тот взял, поблагодарив. Закурил от услужливо поднесенной спички и, сплевывая с губ прилипшие табачные крошки, успокоительно произнес:

— А что вам может быть? Лишитесь только ночного заработка, вот и все. Продукция испорчена.

Как бы оправдываясь, Волков протянул:

— Ну вот, работали, работали, выходит, на дядю, что ли?

Галкин не выдержал и заорал на бригадира:

— Кончай дурака валять, овцой прикидываться! Тоже мне, труженик нашелся. В другое время тебя работать не заставишь. А тут распушил хвост. Я тебе его быстро обломаю!

Пока Галкин воспитывал бригадира, Малышев, медленно потягивая сигарету, оглядывал ящики. На них коряво, но достаточно разборчиво было выведено гудроном: «Кончай жидо-большевицкую власть», «Россия — тюрьма народов», «Вешай ментов» и прочее в том же духе. На верхнем крайнем ящике проступал едва различимый знак в виде полумесяца с похожими на звездочку каракулями. Была ли это мусульманская символика? Трудно сказать. Но это была единственная зацепка. Похоже, искать нужно среди татар, чеченцев и других «трудящихся Востока».

В зоне их немного, из 2,5 тысяч осужденных человек 200—300.

Галкин еще что-то выяснял у Волкова, а Малышев, не дожидаясь ответа бригадира, спросил, сколько у них в бригаде мусульман. Да вроде нет таких, все православные, последовал ответ.

— А в цехе кто-нибудь рисовал полумесяц со звездочкой?

— Не знаю, не видел.

— Волков,— прошипел лейтенант,— я по глазам вижу, что ты врешь. Что нарисовано на твоем верстаке кузбаслаком?

— Уже не нарисовано, закрасили,— оправдываясь, сказал Волков.

Малышев перебил:

— А что там было?

Волков замялся.

— Да вот была такая же чушь написана,— указал он на ящики.— Но с нашей бригады не могли написать. Это с третьей.

— Хорошо, спасибо тебе.— Малышев пожал бригадиру руку и обратился к Галкину: — Миша, давай в цех сходим, вдруг что-либо найдем.

В цехе по изготовлению снарядных ящиков Галкин подвел Малышева к верстаку Волкова, на верхней части которого было черное пятно размазанного кузбаслака.

— Вот где была надпись,— указал Галкин.— Третья бригада выходит вечером, сейчас находится в жилой зоне.

Значит, «мусульманин» отдыхает, подумал Малышев. Хотя ему сейчас наверняка не до отдыха. По зоне разнеслось, что комитетчик приехал. А мусульмане боязливы и паникуют перед неизвестностью. Надо опросить дневального на дверях штаба. Нет сомнений, он знает всех в зоне, другой уже давно бы не был дневальным, а этот год как на месте стоит. Значит, справно служит «смотрящему» в отряде, мимо него никто не прошмыгнет незамеченным.

Вернувшись в штаб, Малышев открыл свою маленькую комнату, которая также использовалась спецчастью для приема осужденных. Нажал кнопку вызова дневального по штабу. Дверь распахнулась, но вместо дневального в комнату ввалился осужденный Зорин. Скороговоркой промолвил:

— Я вас давно ждал, дневальному наказал, если вы появитесь, чтоб дал мне знать. Сейчас он мне передал, что вы вернулись с промки. Вот я и прибежал. Необходимо срочно переговорить.

СПРАВКА
В ОТНОШЕНИИ ОСУЖДЕННОГО ЗОРИНА

Зорин Николай Иванович, 1947 года рождения, русский, уроженец Москвы, со средним образованием, три раза судимый, последний раз по ст. 226 УК РСФСР на семь лет лишения свободы (распространение наркотиков). По информации ПГУ КГБ СССР, его мать, Изабелла Стойер, американка по происхождению, в 1946 году попросила политического убежища в СССР. До 1945 года она работала в секретариате Управления стратегических служб США. Руководством ПГУ высказана просьба оказать содействие ее сыну в обеспечении безопасности от преследования уголовными авторитетами по месту отбытия наказания, а также притеснений со стороны администрации колонии строгого режима.

На основании данной просьбы с Зориным был установлен личный контакт и осуществлена проверка с использованием возможностей оперативной части колонии. Выяснено, что Зорин, будучи неуравновешенным и несдержанным человеком, вступил в конфликт с начальником отряда Степановым, назвав его продажной шкурой и алкоголиком. Желая отомстить, Степанов сообщил заместителю начальника колонии по политико-воспитательной работе Тихонову, что Зорин собирает компрометирующие материалы на администрацию колонии с целью передачи их за границу. Это стало причиной необоснованных притеснений Зорина, различных придирок. Одновременно Степанов подговорил уголовных авторитетов сообщать ему о поведении Зорина, а позднее подбросить ему в карман куртки 25 рублей. В ходе режимной проверки прапорщик Васильев обнаружил эти деньги и вынес постановление о лишении Зорина права на месяц приобретать в ларьке ИТК на свою зарплату продукты питания.

Путем личного контакта с Зориным и бесед с Тихоновым конфликт был улажен. Однако травля и провокации со стороны уголовных авторитетов не прекратились. Что касается начальника отряда Степанова, то только за февраль 1988 года Зорин получил от него восемь взысканий. По сообщению агента оперативной части «Гусева», им была предотвращена попытка Зорина к самоубийству: пытался повеситься на спинке двухъярусной койки в отряде.

С тем чтобы не допустить психического срыва и повторной попытки самоубийства, решено занять Зорина интеллектуальной работой: обязать проводить еженедельно анализ статей из прессы политического характера и о выводах докладывать оперработнику при встречах. Одновременно оперработник использовал беседы с Зориным для получения информации о негативно настроенной части осужденных. Зорин неоднократно сообщал сведения, полезные для работы по уголовным авторитетам. Раскрыл механизм поступления наркотиков в ИТК через военнослужащих войскового наряда, о чем сообщено начальнику оперативной части.

Старший оперуполномоченный
капитан М. А. Малышев.

— Гражданин капитан,— взволнованно продолжал Зорин,— вы знаете, что в зону этапирован вор в законе Лазо. Подтверждение по воровской почте пришло в зону еще до его прибытия. Значит, он шел сюда с определенной целью и с полномочиями от преступного мира. Сейчас он собирает вокруг себя всех приблатненных, а затем пойдет на конфликт с администрацией колонии. Среди отрицаловки начались разговоры о том, что на промке из прутьев необходимо заготовить пики для борьбы с войсками.

— Что тебе, Коля, известно про надписи на ящиках, сделанных сегодня ночью? — спросил Малышев.

Зорин пожал плечами.

— Известно только, что вся зона говорит об этом. Я думаю, что за этим Лазо стоит. Рекомендую с ним встретиться и переговорить. Увидите, что это за плюгавый тип, но зеки перед ним на цирлах ходят. Мнит из себя потомственного вора. А сам шашлычников обирал в Тбилиси.

— Ты, Коля, лучше пошукай в отрядах людей, у которых, возможно, на теле есть татуировка мусульманского значка. Сдается мне, что это дело рук кого-либо из восточной публики. В конфликты не встревай. Лучше затихни. С прокуратурой по поводу льгот насчет амнистии для тебя утрясем. Сильно в штабе не светись. А то примут за агента, тогда вообще духоту устроят.

— Я понял, не подведу, гражданин начальник.

Во время разговора с Зориным в дверь постучали. Малышев быстро вышел. Это был дневальный по штабу, рослый долговязый парень лет двадцати пяти, с выколотой на шее цепью с огромным крестом. Дневальным его назначили недавно по состоянию здоровья, как на легкий труд. Раньше он причислял себя к «чертям». Но после возвращения из областной колонистской больницы «утух». Видно, его развенчали собратья. А дело было так. Летом он задолжал 500 рублей, проиграв их в карты. Вызвал на свидание мать, которая привезла по его просьбе деньги. Чтобы пронести их в зону и вернуть долг, он использовал обычное ухищрение. Скатал купюры в рулон, связал их ниткой и проглотил, оставив длинный конец нитки во рту. После обыска он попытался вынуть деньги. Но нитка в желудке, видимо, размякла, и вытянул он ее без денег. А тут братва требует долг. Давай его трясти за ноги, бить по животу. Заставили даже пить из ведра помои с плевками, чтобы деньги вытравил. А они, вероятно, прилипли к стенкам желудка, и все без толку. Мучили его часа три. Уходя, предупредили: чтобы деньги к утру были. Несчастный достает лезвие бритвы, протягивает его одному осужденному и, оголяя живот, просит: режь! Тот ни в какую: ты что, дескать, я тебя ненароком порешу, а мне к сроку еще червонец подмешают. Тогда бедолага лег и сам начал резать себе живот, но потерял сознание. Его сразу же в больницу и на операционный стол. Едва хирург, изъяв из желудка деньги, наложил шов, как пациент пришел в себя и кинулся на врача с криком: «Где деньги?!» А деньги, что же, конечно, изъяли по акту, как положено. И пришлось должнику сделаться «сукой», став дневальным штаба. А куда деваться? Здесь он хоть под какой-то защитой администрации, а в отряде могли бы изнасиловать.

— Вызови ко мне дневального на внешних дверях,— приказал Малышев осужденному с выколотым на груди крестом. Тот скрылся за поворотом. Зорин тем временем прошмыгнул мимо Малышева и скрылся за дверью туалета.

Через минуту Малышев услышал предупредительный стук.

— Войдите!

Вошел вызванный дневальный и отрапортовал:

— Осужденный Дзеня явился.

СПРАВКА
В ОТНОШЕНИИ ОСУЖДЕННОГО ДЗЕНИ

Дзеня Степан Николаевич, 1960 года рождения, уроженец Ивано-Франковска, украинец, со средним образованием, осужденный по ст. 103 УК РСФСР к 10 годам лишения свободы, конец срока 12.12.93 г. Совершил умышленное убийство таксиста с целью завладеть выручкой. Прибыв по этапу в ноябре 1987 года в ИТК, назвал себя вором в законе. Проверка, посланная в г. Златоуст уголовными авторитетами, где находился Дзеня в закрытой тюрьме, подтверждения о его коронации не дала. И он был объявлен самозванцем. Как самозванца отрицаловка пыталась его изнасиловать в отряде, но спас дежурный наряд. С тех пор его определили дневальным. По оперативным данным, снабжает информацией как администрацию о различных нарушениях дисциплины среди осужденных, так и «смотрящих» авторитетов в отрядах об осужденных, которые посещают штаб.

Старший оперуполномоченный
капитан М. А. Малышев.

— Что говорят осужденные о надписях на ящиках? — спросил Малышев у Дзени.

— Говорят, что КГБ известно, кто написал.

— Ну и что сейчас делает этот «писатель»?

— Не знаю, кто это сделал.

— А в третьей бригаде ты всех знаешь?

— В лицо — всех.

— Кто там нерусские?

— Есть трое.

— Фамилии назвать можешь?

— По памяти не могу, надо посмотреть по книге нарядов.

— Хорошо. Выпиши их фамилии.

— Сейчас, один момент.

Дзеня суетливо выскочил за дверь. Но прежде чем зайти в нарядную и выписать фамилии трех осужденных, которыми интересовался Малышев, направился к выходу из штаба, ведущему в жилую зону. Выйдя из штаба, направился к санчасти.

Малышев набрал номер телефона Сердюкова.

— Сергей Николаевич, кажется, все проясняется. Думаю, что анонима надо искать среди мусульман. Считаю, что пришла пора потолковать с Лазо. Вызови его к себе, а я подойду.

— Максим Андреевич,— послышалось в ответ,— мне запретили в оперотделе УИД встречаться с Лазо.

— Это почему еще?

— У начальства свои соображения. Имеется указание из Главного управления исправительных дел. Все уголовные авторитеты из разряда воров в законе закрепляются за старшим оперативным начальником. Дано распоряжение «по возможности, путем установления личного контакта с ворами в законе влиять на оздоровление оперативной обстановки среди отрицательно настроенной части осужденных». Это цитата. Вот так. А начальник оперативного отдела Григорьев будет в зоне к вечеру.

— Погоди, погоди. Ты хочешь сказать, что с ворами в законе надо заключать договоры для нормализации обстановки.

— Вот именно. В случае неподчинения рекомендовано добиваться их этапирования на перевоспитание в «Белый лебедь», слышал о такой зоне, где перековывают воров? ИТК-6 в Соликамске.

— Слыхал. Но вора в законе перевоспитать невозможно. И ты это знаешь не хуже меня.

— Что поделаешь? Указание есть указание.

ИЗ УКАЗАНИЯ КГБ-МВД СССР 23/28 С ОТ 1983 ГОДА ПО ОПЕРАТИВНОЙ РАБОТЕ СРЕДИ УГОЛОВНЫХ АВТОРИТЕТОВ

Для своевременного вскрытия враждебных и политически вредных процессов среди лиц, отбывающих наказание, во взаимодействии оперативных отделов учреждений выявлять и брать в проверку уголовных авторитетов. Осуществлять их компрометацию среди единомышленников...

В дверь постучали. Не дождавшись разрешения войти, на пороге «образовался» Дзеня с листком бумаги в руке. В списке значились три фамилии: Алиев Мухтар Ибрагимович, судимый за кражу; Мусаев Валентин Иргашевич, судимый за подделку документов и злостное неповиновение властям; Арутюнян Вазген Артакович, судимый за распространение наркотиков. У всех троих по представлению медицинской комиссии снята ст. 62 УК РСФСР (применение принудительных мер лечения к наркоманам и алкоголикам). Значит, люди готовятся к досрочному условному освобождению с направлением на стройки народного хозяйства. Какой же им смысл марать себя призывами уничтожать власть, если брезжит свободная работа на «химии»? Малышев понял, что в этом списке анонима нет.

— Это все «мусульмане» из третьей бригады? — оторвав глаза от листка бумаги, спросил Малышев.

— Все, кого знаю.

— А в санчасти у тебя кто знакомый?

Дзеня круто покраснел.

— Да я туда заходил, чтобы спросить у дружка насчет мусульман в третьей.

— Я же тебя не спрашиваю, зачем ты ходил в санчасть. Ну, значит, дружок тебе подсказал, кого занести в список, так? А может, пригласим сюда этого дружка, если он такой знающий? Или его под конвоем привести и вас обоих пустить как сообщников по сокрытию государственного преступника или за введение в заблуждение должностного лица органов госбезопасности?

Дзеня неожиданно обмяк. Минуту помолчав, тихо произнес:

— Кумуков это сделал. Сейчас он в отряде места себе не находит, весь трясется. Зеленский у него над душой стоит, стращает, что чекисты сейчас его расстреляют, а ему через месяц по концу срока освобождаться.

СПРАВКА
В ОТНОШЕНИИ ОСУЖДЕННОГО ЗЕЛЕНСКОГО

Зеленский Виталий Николаевич, 1947 года рождения, русский, со средним образованием, пять раз судимый, последний раз в 1985 году по ст. ст. 144, ч. 1, 198, ч. 2 (кража, злостное нарушение правил административного надзора) на срок 7 лет, конец срока 10.01.92 г. Взят на контроль в оперативной части ИТК как уголовный авторитет, является «смотрящим» на промзоне. К администрации настроен лояльно. Замечен в пособничестве отдельным сотрудникам колонии в незаконном вывозе с промзоны стройматериалов в обмен на партию плиточного чая.

Старший оперуполномоченный
капитан М. А. Малышев.

Раздался телефонный звонок. Малышев снял трубку. Говорил Сердюков.

— Максим Андреич, приехал начальник оперативного отдела Григорьев. Сейчас он пойдет к Лазо, чтобы «поговорить за жизнь». Если есть время, можете сходить вместе.

— А вызвать Лазо в штаб нельзя?

— Он не пойдет, считается больным, претензий не предъявишь. Хотя сам уже прошелся по отрядам, навел мосты к отрицаловке.

ВНЕДРЕНИЕ

Комитет государственной безопасности СССР
Шифртелеграмма №... от 22.07.88 г.
О негативных процессах в местах лишения свободы.

В настоящее время в структуре и динамике преступности в стране стал проявляться ряд негативных тенденций. Зафиксированы попытки уголовных лидеров, именующих себя ворами в законе, к созданию в местах лишения свободы региональных воровских организаций и воровских касс («общаков») для оказания материальной и иной помощи лицам, находящимся в местах лишения свободы; организуются нелегальные каналы связи с заключенными, несовершеннолетние и молодежь вовлекаются в преступную деятельность, возросла агитация и пропаганда воровских идей, активно осуществляется подкуп должностных лиц.

Систематически перехватываются письма-обращения, письма-призывы, письма-разъяснения лидеров, распространяемые среди уголовного элемента. В этих письмах пропагандируется «воровская постановка», как действовать в местах лишения свободы для борьбы с администрацией. Не скрывается прямая направленность массовых выступлений уголовной среды против существующего строя в стране.

Так, в Хабаровском крае зафиксировано создание «Союза истинных арестантов», руководимого рецидивистом, вором в законе по кличке «Джем». В структуре деятельности «союза» просматривается своя система. На высшей ступени руководства «общаком» организации находятся воры в законе, а на местах — «смотрящие», назначаемые последними. В деятельности характерна тщательная конспирация, строгая подчиненность уголовных групп «общаку», взаимная ответственность и круговая порука.

Все более заметной становится связь и даже сращивание уголовных элементов с различного рода дельцами, жуликами и разложившимися должностными лицами органов управления, контролирующих и правоохранительные органы. По имеющимся данным, свыше 80 процентов лиц, стоявших во главе преступных групп и действовавших в сфере экономики, составляли руководители организаций и учреждений. Участвующие в «нелегальном бизнесе» лица из числа уголовного элемента оказывают дельцам покровительство и содействие. Такие устойчивые преступные группы, как правило, оказывают активное противодействие правоохранительным органам путем шантажа, подкупа и насилия. Имеются факты, свидетельствующие о связях преступных элементов с судебными инстанциями. Подобные связи используются для организованного уголовного преследования неугодных сотрудников правоохранительных органов.

Учитывая повышенную общественную опасность в деятельности организованных преступных групп и в воссоздании воровских «общаков», необходимо организовать работу в местах лишения свободы по выявлению фактов организационной антисоветской деятельности среди уголовных лидеров. Необходимо использовать противоречия между ними для привлечения к негласному сотрудничеству наиболее патриотично настроенных авторитетов и компрометации тех, кто вынашивает враждебные замыслы...

Первый заместитель
Председателя КГБ СССР...

Комитет государственной безопасности СССР
Шифртелеграмма № ...
Совершенно секретно.
Лично начальнику УКГБ СССР по Свердловской области.
О маршрутировании агента «Вольф».

Выполняя Указание ШТ № ..., для оперативного проникновения в среду уголовных авторитетов на территорию Вашего оперативного обслуживания маршрутируется подготовленный нами агент «Вольф», из числа бывших оперативных сотрудников органов госбезопасности, который ранее был нами внедрен в группировку вора в законе Кучуури и имеет опыт работы с данной категорией. Связь с «Вольфом» будет установлена командируемым к Вам старшим оперуполномоченным 1-го отдела 5-го Управления КГБ СССР подполковником Филипповым Анатолием Борисовичем. Просим обеспечить необходимые конспиративные условия для установления связи с агентом и организовать с ним работу по отдельному плану.

Начальник 5-го Управления КГБ СССР...

СПРАВКА

ПО ЛИЧНОМУ ДЕЛУ АГЕНТА «ВОЛЬФ» № 2007

Агент «Вольф» — Кравчук Сергей Николаевич, 1955 года рождения, уроженец Ленинграда, русский, образование высшее, мастер спорта СССР, беспартийный, неженатый. Закончил Высшую школу КГБ СССР имени Ф. Э. Дзержинского, контрразведывательный факультет.

После окончания Высшей школы КГБ СССР «Вольф» направлен для прохождения службы в специальное подразделение по линии Управления «С» ПГУ КГБ СССР.

В декабре 1979 года выполнял правительственное задание в Демократической Республике Афганистан. По службе характеризовался положительно. Награжден орденом Красного Знамени.

В 1980 году, во время служебной командировки, заболел малярией. После лечения комиссован, переведен в запас органов госбезопасности. Проживая в Ленинграде, был нештатным сотрудником 1-го отдела УКГБ СССР по Ленинграду и области.

«Вольфу» была оказана помощь в поступлении в Военно-медицинскую академию. Во время обучения познакомился с жителем Тбилиси Кучуури, оказавшимся вором в законе. «Вольф» оказывал помощь Кучуури в приобретении дефицитных лекарственных средств. По его приглашению отдыхал в городе Поти.

О своих контактах с представителями грузинского преступного мира «Вольф» сообщил руководству. В результате проведенной проверки было установлено, что Кучуури занимается распространением наркотиков. Чтобы раскрыть преступную организацию, занимающуюся сбытом наркотических препаратов, с «Вольфом» были установлены агентурные отношения и его ввели в разработку группы воров в законе.

В результате операции, проводимой КГБ Грузинской ССР с 1984 по 1986 год, в Грузии было арестовано и осуждено 52 вора в законе (негрузинской национальности). В данной операции большую роль сыграла «семья» Кучуури, в которой «Вольф» был принят как единомышленник. После ареста воров в законе «Вольфу» были изменены установочные данные и оказано содействие в смене постоянного места жительства. Он выехал на Урал, где проживали его близкие родственники.

Установленные связи «Вольфа» среди воров в законе:

1. Барклая Важа («Важа»), 1937 г. р.

2. Бучукури Томаз Матвеевич («Томаз»), 1962 г. р.

3. Биткаш Гиви Фадюмович, 1937 г. р.

4. Глонти Реваз Валерьянович («Казбек»), 1942 г. р.

5. Гудушаури Паат Валерьянович («Скот»), 1962 г. р.

6. Горгишели Паат Николаевич («Паат Маленький»), 1959 г. р.

ИЗ СООБЩЕНИЯ АГЕНТА «ВОЛЬФ»:

18 апреля источник встретился в помещении режимной части с подвыпившим начальником отряда Степановым, который с развязностью сообщил, что скоро Советам придет конец, а коммунистов будут вешать. Степанов побывал в 13-м отряде и беседовал с вновь поступившим авторитетом по кличке «Лазо» (прибыл из ИТК-49 Иркутска). Там он организовал взрыв недовольства осужденных и устроил резню между русскими авторитетами. Лазо наркоман. Степанов принес ему «соломку». Видимо, Лазо был «ужаленный» после наркотического допинга и разоткровенничался со Степановым. Со слов последнего, Лазо будет готовить осужденных к выступлению против администрации. Начнет с санчасти. Там он уже подговорил нескольких осужденных, своих земляков, запустить красным «торпеду», не выполнять требования, пока не выпустят наказанных из штрафного изолятора. Конечная цель — поднять всю зону на бунт.

Малышев помнил то агентурное сообщение. И помнил пьяницу и болтуна Степанова. Начальник отряда, воспитатель-офицер, а «на цирлах» бежит к вору, раболепствует перед ним. Он не предатель, не коррумпированный элемент, как принято говорить, его просто сломала зона.

Задание: Установите знакомство с Лазо, войдите в доверие и в ходе общения выясните вероятные замыслы объекта по стимулированию массоых выступлений, определите характер связи со Степановым, возможность поступления через последнего наркотиков в зону, а также переправки через него за пределы колонии писем и сообщений (воровской почты).

Мероприятия: 1. Установить личность «Лазо», организовать проверку, действительно ли он занят подготовкой бунта осужденных. 2. Легализовать данные о злоупотреблениях Степанова, направить информацию о его недостойном поведении руководству УВД для принятия мер.

СПРАВКА
В ОТНОШЕНИИ УГОЛОВНОГО АВТОРИТЕТА ПО КЛИЧКЕ «ЛАЗО»

В интересах проверки информации, поступившей от агента «Вольф» о вероятных враждебных проявлениях уголовного авторитета по кличке «Лазо», оперативной частью ИТК установлено:

«Лазо» — Алоев Анзор Джалилович, 1960 года рождения, курд, с незаконченным средним образованием, ранее нигде не работавший, осужден последний раз в 1986 году по ст. 252 УК Грузин-

ской ССР на 3 года лишения свободы (за распространение наркотиков), конец срока отбытия наказания 10.12.89 г.

По данным начальника оперативной части ИТК капитана внутренней службы Сердюкова, Лазо — вор в законе. Он относится к категории «апельсинов», то есть, по современным воровским понятиям, является скороспелым вором, который добивается авторитета, подбивая осужденных на выступления против администрации. Сердюков имел беседу с Лазо после его этапирования в ИТК. Последний не скрывает своей неприязни к политическому режиму, сказал, что его в Грузии незаконно осудили, милиция якобы подбросила наркотики. Лазо состоит на учете в оперативном отделе Главного управления исправительных дел. Имеется ориентировка о его злостном неподчинении администрации.

Сердюков удивлен, что Лазо этапирован в Свердловский УИД, так как он закреплен за Иркутским УИД. Обычно подобным образом попадают на этап по особым распоряжениям Главного управления, а такового в деле Лазо нет. Значит, он попал этапом на Урал по ошибке какого-либо сотрудника с начальствующими полномочиями. Сердюков не сомневается, что подобные авторитеты подстрекают заключенных выступать против администрации.

В итоге договорились использовать агентурные возможности оперативной части среди осужденных и собрать данные, подтверждающие деятельность Лазо по стимулированию массовых беспорядков, возможные его намерения террористического характера...

ИЗ СООБЩЕНИЯ АГЕНТА «ВОЛЬФ»:

Выполняя задание, источник 21 апреля прибыл в санчасть, где в кабинете старшей медсестры находился Лазо. Он звонил по телефону, видимо, междугородному, оживленно разговаривая на нерусском языке. Старшая медсестра из вольнонаемных Стрельникова Галина Петровна находилась рядом. После разговора по телефону Лазо взял у Стрельниковой теофедрин, из которого осужденные выпаривают наркотик, и направился в жилую зону. Здесь он побывал в столовой; на кухне его ждал прораб зоны осужденный Помигайло. Между ними состоялся следующий разговор.

Л а з о. Хвала героям.

П о м и г а й л о. Здорово, бродяга.

Л а з о. Надо груз отправить не позднее четверга, уголок должен быть тройка. На товарной станции машину встретят. Потом еще нужен будет швеллер и кирпич, тысяч пять.

П о м и г а й л о. Кирпич можно взять у Левина, у нас только металл и древесина.

Л а з о. Возьмите кирпич, который идет на строительство штаба за зоной.

П о м и г а й л о. Уже взяли, сколько можно было. Сейчас кирпича осталось только-только.

Л а з о. Заряди расконвойников, пусть привезут еще.

П о м и г а й л о. С Левиным тогда не расплатишься.

Л а з о. Собери общаковские фантики, дай хозяину на выпивку.

П о м и г а й л о. Не пойдет, он теперь боится всего.

Лазо. Ничего, через пару дней будет покладистый, я обещаю.

Помигайло и Лазо поели мяса и расстались.

Далее Лазо посетил ларек, где взял блок сигарет «Стюардесса» и три коробки конфет. Затем вернулся в санчасть.

Задание: продолжайте контакт с Лазо, фиксируйте характер связи с должностными лицами ИТК. Установите, в чем конкретно заключается замысел по организации массового неповиновения, через кого из осужденных Лазо проводит агитацию.

Мероприятия: 1. Информировать руководство УИД УВД Свердлоблисполкома о хищениях металла и кирпича в ИТК-5. 2. Отработать совместные действия с оперативным отделом УИД по предотвращению массового неповиновения и возможных столкновений окружения уголовных авторитетов с общественностью из числа осужденных, поддерживающих администрацию.

Палата, в которой поместили Лазо, располагалась на втором этаже санчасти. В палате стоял цветной телевизор, взятый из «красного уголка». Само помещение было непривычно чистым. Кроме Лазо, в нем находились еще трое заключенных. Лазо жестом приказал им выйти, и те подчинились при появлении в дверях Григорьева и Малышева. Вежливо поздоровавшись с гостями, Лазо предложил заварить кофе. Ни дать ни взять великосветский раут.

Внешний вид вора в законе, одежда сразу выделяли его среди общей массы больных. Вместо больничной одежки на нем были спортивные брюки и теплая байковая рубашка китайского производства. На ногах вязанные из шерсти носки и домашние кожаные туфли явно не зоновского происхождения.

Конечно, весь этот комфорт оплачен трудом осужденных. А что такой «аристократ» дает им взамен? Справедливый расклад очередной ссоры между уголовниками? Учит, как красиво и сытно жить? Но за чей счет?

«Вот гнида!» — неожиданно подумал Малышев. И еще у него возник вопрос. Почему по прибытии в зону Лазо оказался в санчасти? В личном деле есть отметка, что он-де туберкулезник. Но для этой категории больных в ИТК имеется специальный отряд, где все трудятся на облегченных работах. Возможно обострение болезни, но по пышущей здоровьем физиономии Лазо этого никак не скажешь. Какие же рычаги так сильно действуют на администрацию колонии, что сразу по прибытии подобный авторитет размещается в уютной палате санчасти? Попробовать найти ответы на эти вопросы в ходе беседы? Но вряд ли Григорьеву будет удобно выслушивать откровения Лазо.

— Анзор,— начал разговор Григорьев,— как устроился на новом месте?

— Спасибо, Владимир Григорьевич, за заботу, как видите, устроился неплохо.

— А телевизор откуда, его здесь не положено держать.

— Он здесь уже был, когда я пришел.

Григорьев шагнул к двери и, окликнув санитара, приказал унести «ящик». Пришли двое осужденных и вынесли «Кристалл-2» из палаты.

— Ты должен понимать, Анзор,— продолжил разговор Григорьев,— что мы с тобой нянчиться не намерены. С твоим приходом зона непонятным образом зашевелилась. Появились вот призывы к насильственным действиям, испорчена продукция ночной смены. А ведь у нас с тобой в СИЗО был уговор, что в зоне сохранится порядок. И ты дал обещание вора. Так как же теперь эти сны разгадать?

— Владимир Григорьевич, к чему ваши претензии? То, что эти свиньи чифирят и растаскивают общак, а мужик на промке вынужден пахать как папа Карло, конечно, непорядок. Но я не хочу вмешиваться в эти дела. Мой принцип вы знаете: живи сам и дай жить другим. Политика меня не касается.

— У нас есть все основания полагать,— веско произнес Малышев,— что вы настраиваете осужденных на массовое неповиновение администрации. Насильственные призывы — шаг в этом направлении. Послушать вас, так вы ратуете за мужика на промке. А сами отбираете у него кусок.

— Как так? — Наверно, только на сцене МХАТа могут с такой неподдельностью изобразить удивление.

— А очень просто. Смена осужденных изготовила продукцию, выполнила план. А кто-то из ваших «шестерок» решил побаловаться. Теперь вся работа коту под хвост. Люди лишились заработка. И знаете что? Я вам обещаю, пока не найдем и не накажем анонима, мы будем трясти всю зону, да так, что вам каждый день будет икаться.

Лазо хладнокровно пожал плечами:

— Я уже слышал о ночной неприятности. Но повторяю, что к политике не имею отношения, и здесь я бессилен.

Малышев усмехнулся:

— Но какой вы тогда вор, если не можете влиять на фраеров, как вы их сами называете?

— Нам трудно понять друг друга, гражданин начальник. У вас одни законы, а у нас другие. Вы со своими законами пытаетесь разобраться в нашей жизни, но из этого ничего не получится. Мы с вами говорим, как глухой с немым. Между прочим, у вас, у русских, есть хорошая пословица: со своим уставом в чужой монастырь не ходят.

— Но и ваш воровской устав не годится для нашего монастыря. А живем, можно сказать, за одним забором. Поэтому решайте. Либо мы находим общий язык, либо пожалуйте в «Белый лебедь». Хотите, я расскажу, что с вами там будет. Ну, для начала вы проведете незабываемое время в обществе молодых людей, которые, может быть, не слишком начитанны, но зато обладают массой других достоинств. Это общение вас так расположит, поверьте мне, что вы дадите подписку об отказе от воровских традиций. Мало того, вы сами выразите согласие сотрудничать с нами.

— На мне сан вора, и я лучше буду гнить...

— Только не надо пустых слов,— поморщился Малышев.— По сути, вы уже согласились сотрудничать. Контакт с начальством имел место, и вы согласились способствовать укреплению порядка. Другое дело, что вы не выполняете своих обещаний, жульничаете. А вот мы, в отличие от вас, слово свое держим. Смотрите-ка. Без всяких на то серьезных оснований пользуетесь хорошими условиями содержания в санчасти. И вот еще что, алмаз вы мой небесный. Если потребуется, мы вас сгноим. И без всяких переживаний. Невелика потеря для мироздания. Но вы сами на это не пойдете. Никогда! Вы же молодой, хотите жить хорошо, пользоваться властью над более слабыми... Посему, осужденный Алоев, не заставляйте нас воскрешать забытые чекистские методы. Вам срок до завтра. И чтобы утром ваш единомышленник осужденный Кумыков спокойненько постучался в дверь начальника оперативной части и попросил принять его по поводу явки с повинной. Что же касается лично вас, то вы подаете ходатайство с просьбой этапирования из ИТК по прежнему месту отбытия наказания в городе Иркутске. Думаю, наш контакт с вами на Уральской земле этим ограничится. И запомните на будущее, как «апельсин», волк не пакостит в своем логове.

СПРАВКА
О РОЗЫСКЕ АНОНИМА В ИТК

22 апреля 1988 года к начальнику оперативной части ИТК обратился осужденный Кумыков Сергей Айванезович, 1959 года рождения, уроженец г. Грозного, чечен по национальности, два раза судимый, последний раз в 1984 году по ст. ст. 144, ч. 1, 224, ч. 2 УК РСФСР (кража, незаконное хранение наркотических средств) сроком на 4 года и 5 месяцев, конец срока 2.06.88 г., с желанием сделать явку с повинной. В ходе явки с повинной Кумыков сообщил, что утром 20 апреля 1988 года, возвращаясь со смены, написал призывы к насильственным действиям на 30 изготовленных ящиках (в письменной явке с повинной Кумыков перечислил надписи, которые сделал собственной рукой). Почерковедческая экспертиза показала, что почерк Кумыкова и почерк исполнения над-

писей идентичны. Свои действия осужденный Кумыков объяснил недовольством своего содержания в ИТК, несправедливыми требованиями администрации. На вопрос, имел ли он конфликты с осужденными, Кумыков ответил отрицательно. О причинах явки с повинной пояснил, что испугался за возможное повторное осуждение по статье за антисоветскую агитацию и пропаганду.

В ходе проверки Кумыкова через оперативные источники выяснено, что непосредственных отношений с отрицательно настроенными осужденными он не имеет. Однако, по сообщению агента «Гусева», собирался поддержать отрицательную часть осужденных в массовом неповиновении администрации. Вероятно, исполняя надписи с призывами к насильственным действиям, он хотел заручиться поддержкой лидера преступного мира Лазо и после освобождения 2 июня с. г. получить от него как вора в законе определенные полномочия.

В ходе явки с повинной, беседы с оперработником и последующих бесед со следователем органов госбезопасности Кумыков вел себя спокойно, старался ответить на все вопросы. С учетом результатов его проверки и оценки полученных заявительских материалов в действиях Кумыкова состава преступления не установлено. Принято решение ограничиться профилактическим воспитанием.

Старший оперуполномоченный
капитан М. А. Малышев.

Начальнику городского отдела
УКГБ СССР
г. Свердловск

на Ваш № 2210 от 2.06.88 г.

В отношении объекта дела
оперативного наблюдения Кумыкова

Сообщаем, что объект дела оперативного наблюдения Кумыков после его освобождения из мест лишения свободы нами установлен в г. Грозном. Дальнейшая его проверка и наблюдение нецелесообразны. По прибытии на прежнее место жительства он в связи с психическим заболеванием был помещен в психиатрическую лечебницу.

Начальник Грозненского городского
отдела КГБ Чечено-Ингушской АССР... .

ИЗ СООБЩЕНИЯ АГЕНТА «ВОЛЬФ»:

Выполняя задание, источник установил тесный контакт с объектом проверки Лазо. Предлогом для контакта было употребление наркотиков. По прибытии в колонию объект испытывал острое недомогание и общую физическую слабость, что могло быть вызвано обострением у него туберкулеза. Это явилось основанием для перевода его из этапного отделения в санчасть. Нахождение объекта в санчасти наиболее способствовало осуществлению за ним контроля, а также его изучению.

В санчасти источник предложил Лазо ввести ему анапом. Последний не отказался и стал получать препарат регулярно. По мере улучшения со-

стояния здоровья Лазо начал оказывать содействие источнику в выполнении его личных просьб.

С тем чтобы Лазо полностью доверился и смог при этом продемонстрировать источнику силу своего авторитета, ему было организовано в комнате свиданий колонии знакомство с известным вам местным подпольным предпринимателем Игорем Тарлановым. (Просьба запомнить имя этого человека. Позднее он станет одной из жертв серии скандально громких убийств в Екатеринбурге.) У Тарланова обострились отношения с каталами (лица, промышляющие игрой в карты) в Свердловске и их лидером Черепановым, поэтому он искал возможной сильной поддержки в уголовной среде. Лазо, рекомендованный Тарланову как авторитет с полномочиями от кавказских воров в законе, фактически мог сыграть роль независимого защитника интересов подпольного предпринимателя.

На организованной встрече Тарланов предложил Лазо солидную материальную поддержку зоновского общака. Взамен Лазо должен взять под свой контроль начавшие складываться уголовные группировки, которые стали промышлять рэкетом, и тем самым лишить катал опоры в уголовной среде.

Лазо же почувствовал в этом предложении неожиданную возможность создать мощную воровскую группировку под своим началом. В порыве откровенности после встречи с Тарлановым он поделился с источником своими планами. По его словам, группировку, к которой принадлежал Лазо, продали «рыбакам» (сотрудникам уголовного розыска) люди Анзора Агаяна, одного из представителей мощного грузинского клана воров в законе, за то, что они решили расправиться с неким

Гуриеловым, представлявшим интересы вора в законе Кучуури. Гуриелов непосредственно налаживал каналы связи с экономическими и административными инстанциями на Урале, в основном Пермской и Свердловской областях. «Команда» Гуриелова не имела дела с местной уголовной шпаной, работала напрямую с директорами крупных предприятий (!). Люди Гуриелова тщательно изучали личные качества начальников УВД и областных управлений госбезопасности для возможного их использования в своих интересах. (Заметим в скобках, что позднее ворам в законе удалось увлечь «красивой жизнью» сына начальника одного из самых секретных подразделений УКГБ Свердловска и области. Практической выгоды они из этого извлечь не смогли, но определенный результат был: начальник подразделения досрочно на пенсии, его сын в тюрьме.) Семья Кучуури одна из первых стала отходить от «щипачества» и работать по-крупному. Цель — получение от всех подпольных сделок золота и отправка его в Поти.

После разборок с администрацией Иркутской ИТК-49, вылившихся в массовые беспорядки, Лазо договорился с одним из чиновников, чтобы его включили на этап в Свердловск. Он рассчитывал закрепиться в одной из уральских зон, и сначала у него это неплохо получалось. Теперь он полагается на поддержку со стороны источника, в частности, для того, чтобы закрепить контакты с Тарлановым. Взамен он берется обеспечить по своим каналам материалами из зоны для строительства дачи под Сочи. Через кого и как он обеспечивает доставку стройматериалов, источник сообщал ранее.

Однако Лазо допустил одну ошибку. Он решил поднять свой авторитет за счет организации недовольства осужденных. Думал шантажировать администрацию угрозой массовых беспорядков. И хотя часть осужденных его поддержала, он объективно противопоставил себя местным авторитетам, которые не признают воровской мир и не заинтересованы в обострении отношений с администрацией. Многие из них, что называется, «прописались» в этой зоне и делают сюда ходку за ходкой. Фактически эта колония стала для них «родным домом». И вот Лазо решил нарушить спокойствие. Результат налицо. Они вычислили Кумыкова и на свой манер его обработали. Лазо ничего не оставалось делать, как для спасения собственной шкуры приказать Кумыкову явиться с повинной.

Что касается руководства оперативного отдела, то его больше беспокоило не то, что из-за присутствия Лазо события в зоне приобретают угрожающий характер. Главная опасность виделась во вмешательстве органов госбезопасности. Это было чревато тем, что могли стать известными в руководящих инстанциях факты хищений материалов, приписок на производстве, а также другие недостатки. Вот почему 25 апреля Лазо этапируется за пределы области.

Задание: 1. Продолжайте контролировать процессы среди негативно настроенных осужденных. 2. Укрепляйте контакт с Игорем Тарлановым на дружеской основе, изучайте обстановку вокруг него, характер противоречий с уголовной средой вне мест заключения.

Мероприятия: Использовать материалы агентурного сообщения для общей профилактики политически вредных процессов в среде преступного мира.

Резолюция на агентурном сообщении начальника УКГБ СССР.

Сведения, изложенные в сообщении «Вольфа», требуют самого серьезного изучения. Очевидно, мы столкнулись с процессами в преступной среде, которые в перспективе развития самым прямым образом будут влиять на безопасность государства в регионе Среднего Урала. Но пока, к сожалению, мы не имеем опыта их оценки. Соблюдайте осторожность и бдительность при работе в уголовной среде, так как есть все основания говорить о нашей незащищенности от разлагающего воздействия философии преступного мира. При вступлении с ним в соприкосновение возникает реальная угроза быть скомпрометированным или поддаться на провокацию. Постоянно проверяйте источники информации.

ИЗ СООБЩЕНИЯ АГЕНТА «ВОЛЬФ»:

17 июня 1988 года источник вместе с осужденными, определенными на комиссию по снятию ст. 62, выехал в областную больницу УИД. По прибытии получил сведения от начальника больницы подполковника внутренней службы Даля, что из Иркутска пришел этапом вор в законе Мамука (Тадиашвили Шалва Валикоевич), 1967 года рождения, осужденный по совокупности соверше-

ния преступлений. Последнее преступление — злостное неповиновение требованиям администрации ИТК-27 Иркутска.

В больнице Мамука начал сплачивать работающих осужденных и подбивать их на конфликт с администрацией. По мнению Даля, это может привести к вспышке массовых неповиновений. Мамука потребовал от Даля устранить общественность и бразды правления среди осужденных передать ему, гарантировав взамен дисциплину и порядок. В действительности же проводит встречи с осужденными для сбора сведений о причинах недовольства администрацией. Приблизил к себе молодежь, этапированную из зон, где проходили массовые беспорядки.

В этой ситуации начальник больницы Даль оказался меж двух огней. В больнице очень много различного рода нарушений, велики хищения на производственном участке. Несомненно, что в хищениях принимают участие и представители администрации; следовательно, возникает вопрос о личной ответственности Даля перед вышестоящими инстанциями. С другой же стороны, он опасается, что из-за деятельности Мамуки обстановка среди отрицательной части осужденных может выйти из-под контроля, и тогда не избежать ввода воинских подразделений для пресечения беспорядков.

Пользуясь дружескими отношениями с этапированным из ИТК-5 вором в законе Лазо, источник установил с Мамукой знакомство. Оба авторитета хорошо знают друг друга. Источник по собственной инициативе сообщил, что у Лазо были крупные неприятности из-за столкновений с местными лидерами. Мамука отнесся к сообщению с явной пренебрежительностью: он-де потомственный вор в законе и поставит этих свиней на колени. Для того чтобы развязать язык Мамуке, источник предложил спирт, взятый в хирургическом отделении. Мамука заявил, что не пьет, однако спирт взял в общак.

На следующий день вновь продолжилась беседа с Мамукой. Теперь он был гораздо доверчивее. Предложил источнику вынести за территорию зоны два изготовленных осужденными пистолета под малокалиберный патрон. Источник ответил, что в эти игры не играет, и посоветовал найти другой канал. Мамука ответил, что пошутил, и больше к своей просьбе не возвращался...

Задание: Изучите возможность изготовления огнестрельного оружия в производственной зоне больницы, установите лиц, причастных к изготовлению. Укрепляйте контакт с Мамукой, оказывая ему мелкие бытовые услуги и одновременно нащупывая способ его нейтрализации.

Мероприятия: Через особый отдел 153-й конвойной дивизии организовать режимный обыск в производственной и жилой зонах для изъятия изготовленного оружия и боеприпасов.

ЗОНА. АВТОРИТЕТЫ

Мамука, действуя более тонко, чем его предшественник Лазо, сумел поладить с местными авторитетами и закрепиться в зоне. Очень скоро администрация ИТК-53 и ИТК-17 почувствовала реальную угрозу бунта осужденных. И, ни минуты не колеблясь (Малышев зубами скрипел), пошла на сговор с вором в законе. Как и во всех последующих случаях, когда заключались соглашения подобного рода с преступными авторитетами, суть была одна: делайте там, у себя на дне, что угодно, но чтобы на поверхности была тишь и гладь.

Мамуке только того и нужно было. Власть повсеместно переходила к уголовникам, которые избивали общественников («повязочников»). Те, видя попустительство администрации, стали создавать свои группировки. Что же до «тиши и глади», то воры в законе считают за честь и за доблесть обвести вокруг пальца любого, а тем более представителей ненавистного государства. Шантажируя администрацию стимуляцией массовых беспорядков (есть такой термин), Мамука за 1988—1989 годы вынуждал пять раз вводить в ИТК-53 воинские подразделения. Наконец терпение у всех лопнуло и Мамука был этапирован за пределы области.

Однако, по известному присловью, свято место пусто не бывает. Выполняя решения воровских сходов, криминалитеты не жалели усилий, чтобы «разморозить» зоны Среднего Урала. Говоря проще, прибрать местные ИТК к рукам. Обстановка в колониях накалялась и становилась взрывоопасной. Администрация пребывала в тревоге. Она, эта администрация, простодушно полагала, что до сих пор ей попадались «не те» воры в законе. Просто какое-то фатальное невезение! Вся эта публика оказывалась насквозь лживой. Вместо того чтобы честно выполнять достигнутые договоренности и тем самым отрабатывать свое привилегированное положение в зоне, эти господа делали все, чтобы окончательно лишить бедную администрацию спокойствия. И вдруг сквозь сгущающиеся тучи неприятностей по службе пробился тот самый луч административных упований. Кажется, это было то, что нужно.

СПРАВКА
В ОТНОШЕНИИ ОСУЖДЕННОГО НОРКИНА В. Я.

Авторитет преступного мира Седой — Норкин Виталий Яковлевич, 1953 года рождения, уроженец Ленинабада Таджикской ССР, русский, со средним образованием, неоднократно судимый: 1968 г.— ст. ст. 144, ч. II, 145, ч. II, приговор — 3 года лишения свободы; 1971 г.—206, ч. II, приговор — 2 года лишения свободы; 1973 г.— 206, ч. III, приговор — 5 лет лишения свободы; 1978 г.— 210, 218, ч. I, приговор — 5 лет лишения свободы; 1983 г.—188, приговор — 2 года лишения свободы; 1985 г.—103 (убийство) УК РСФСР, приговор — 9 лет лишения свободы, начало срока 29.08.85 г., конец срока — 29.08.94 г.

В декабре 1989 года в связи с угрозой возникновения массовых беспорядков был этапирован в ИТК-17, чтобы силой своего авторитета добиться нормализации обстановки. По договоренности с администрацией (а именно — начальником оперативного отдела Управления исправительных дел УВД Григорьевым) и с согласия воров в законе на Урале Седой возглавил уголовную группировку в Тагиле. В скором времени он обеспечил бесперебойную работу производства ИТК, запретил массовые пьянки осужденных, оказал позитивное влияние на поведение воров в законе Хоря в ИТК-8, Баса в ИТК-40, наложил запрет на хищения кожи с производства зоны, нейтрализовал путем компрометации уголовного лидера Шильника, участвовавшего в создании предпосылок массовых беспорядков во всех зонах Тагила одновременно.

(Как говаривал наш незабвенный генералиссимус: «Господа офицеры, какой восторг!»)

Добившись влияния на преступный мир, Седой получил предложение — короноваться в качестве вора в законе, но отказался от «короны» из личных соображений.

Тем временем отрицательная часть осужденных, будучи недовольна линией Седого на укрепление дисциплины и порядка в зоне, пыталась создать враждебную ему группировку.

Отложим справку. Слишком многое остается за ее строгими рамками. Во-первых, что значит «пыталась создать»? Ситуация обострилась настолько, что рассудительный человек не дал бы за жизнь Седого и пачки сигарет. И тогда Седой вспомнил: Хазар! Только этот влиятельнейший вор в законе может ему помочь.

Познакомились они в самом конце 1989 года в областном СИЗО. Хазар проявлял к новому знакомому явный интерес. А вор в законе той вороне, которая просто так не летает, даст сто очков вперед. Что же стояло за очевидной заинтересованностью Хазара? Чтобы понять это, нужно немножко больше узнать о Седом.

Это незаурядная личность. По тюрьмам, зонам — свыше четверти века, с 14 лет. В преступном мире авторитет «бродяги» (второе название вора в законе) и бесстрашного бойца. Обладает прекрасной памятью и умеет чинно, в духе лучших традиций, проводить воровские разборки. В нем сочетаются, казалось бы, несовместимые качества — жестокость к противникам (последняя судимость за убийство уголовника, которого буквально изрешетил ножом) и чуткое, доброе отношение к людям, которых уважает и любит. Он из зоны не забывал отправлять по почте поздравления, написанные аккуратным, ровным и красивым почерком:

«Братишка. С праздником тебя и твою половиночку. От всей души. Здоровья Вам, счастья и всех благ.

Удачи!

С теплотой и уважением.

Виталька Седой».

В преступном мире известен Седой также тем, что мог постоять за себя и близких товарищей (он никогда не бросал друзей по уголовной жизни в беде, был щедр и абсолютно презирал деньги). В одной из зон, где Седой отбывал очередное наказание, случилась беда с его близким товарищем (следует сказать, что его всегда окружали друзья). Местные авторитеты из числа «мужиков» пытались учинить над тем насилие. Товарищ Седого едва вырвался и «заперся» в штрафном изоляторе. Чтобы не уронить честь (как ни парадоксально, в столь специфической среде этим понятием оперируют так же естественно и просто, как в офицерском собрании гвардейского ракетного крейсера), Седой предложил устроить разгром в зоне. Для этого они добыли стальные пруты, вырвались из штрафного изолятора и пошли по отрядам, жестоко избивая осужденных. В результате обоим добавили срок, зато авторитет Седого не только не пострадал, но еще более возрос.

Этой-то жестокостью и авторитетом Седого и решило воспользоваться начальство, предложив навести порядок в зоне по воровским правилам. В награду — свобода действий в зоне, неограниченные свидания с друзьями и кем угодно в специально отведенном для подобных целей помещении. Но под контролем.

Конечно, Седой, будучи «бродягой», давая администрации обещания, думал о своем: при поддержке начальства укрепить свой авторитет в зоне, подмять под себя местную уголовную шпану и оказывать влияние на группы молодежи в городе, которые поголовно занимались рэкетом (благо, что связь с ними могла без каких-либо затруднений осуществляться через предоставленную комнату свиданий). Седой — прирожденный руководитель, ощущать свое лидерство для него так же необходимо, как дышать. Он испытывает истинное удовольствие, когда окружен единомышленниками, перед которыми можно демонстрировать свой ум, изворотливость и воровское благородство.

Прибыв в ИТК-17, Седой в короткое время сплотил вокруг себя наиболее физически крепких молодых людей. Затем избил уголовного авторитета Шильника, который подогревал зону к неповиновению. Начал с крайней жестокостью расправляться с зеками, которые употребляли спиртное и не выходили на работу. «Наказания» всегда чинил сам, не терпел, когда группа бьет одного. Как правило, наносил сокрушительный удар в челюсть и, войдя в раж, добивал ногами, буквально растаптывал человека. Появлялись носилки, и едва живого осужденного относили в санчасть. Таким образом Седой лично искалечил десятка два несчастных. Столь крутые меры позволили за один месяц прекратить массовые пьянки и ввести строжайший запрет на отказ от работы.

Однако тучи над головой Седого начали быстро сгущаться, стихийно возникали и сплачивались группы ожесточенных, готовых на все людей.

Здесь необходимо небольшое отступление. По неизвестным причинам по линии ГУИД МВД СССР в Свердловск были этапированы для отбытия наказания несколько воров в законе. Оперативный отдел УИД УВД под видом оперативного контакта заключил с самым авторитетным вором Хазаром устное соглашение, что тот, пользуясь властью в уголовной среде, обеспечит порядок и дисциплину в исправительно-трудовых колониях Тагила (в городе имелось 7 зон, где отбывало наказание около 15 тысяч осужденных).

Далее происходит непонятное... Очевидно, «во исполнение соглашения» все оперативные мероприятия по линии МВД в отношении этапированных воров в законе были свернуты. Служба госбезопасности осталась без поддержки в сфере контроля за воровскими авторитетами. Дело дошло до того, что в сентябре 1990 года из приемной председателя КГБ Крючкова была передана устная жалоба руководству УКГБ от министра МВД Бакатина. *Сей* был крайне недоволен тем, что сотрудники городского отдела УКГБ пытаются контролировать воров в законе в ИТК и даже осуществляют (подумать только!) оперативные мероприятия.

По данным же агентов органов госбезопасности из числа офицеров оперативных отделов ИТК, от их руководства поступило устное распоряжение не вмешиваться в деятельность воровских авторитетов на зоне.

* * *

Разумеется, тот же Хазар не преминул воспользоваться столь беспрецедентными возможностями для всемерного расширения своей власти в уголовной среде региона. Думается, настала пора сказать несколько слов об этой влиятельной фигуре преступного мира. А сегодня, надо полагать, и не только преступного.

Итак, Хазар, Тонаян Асалан Тимурович, 1937 года рождения, курд по национальности, бывший профессионал-валютчик, в 1963 году купил «корону» вора в законе. В 1984 году его осудили в Тбилиси по совокупности статей: незаконное хранение наркотиков, подделка документов. Приговор — 15 лет лишения свободы. В ту пору Хазару было уже 48 лет. Женат. Необходимо заметить, что обзаводиться семьями, не складывая с себя полномочий воров в законе, первыми стали выходцы из кавказских республик. Теневые промыслы приносили им огромные прибыли. Эти сверхприбыли требовалось передать в надежные руки, чтобы пользоваться доходами и приумножать капитал, вкладывая его в различные подпольные производства. И только семейные узы дают гарантию надежности подобных операций, среди них родственные связи и обязательства имеют особую значимость. Все это позволяло встретить старость (тем, конечно, кто до нее доживал), прямо скажем, не в бедности.

И вот — резкий контраст. До самого недавнего времени для русских воров в законе главное было — воровское братство, презрение к власти и полная свобода личности (своеобразно, конечно, понимаемая). Поэтому русские криминалитеты, пройдя суровую школу выживания в зонах, считали единственным своим богатством воровской авторитет и независимость.

Стремление же кавказских воров в законе к семейственности значительно укрепляло взаимную поддержку и делало их «крестными отцами» в целых регионах. Но такая установка имела и отрицательные последствия. Жажда наживы привела к ожесточенной конкурентной борьбе между семейными кланами на Кавказе. Жертвой этой схватки не на жизнь, а на смерть и оказался Хазар. Заметим попутно, что внутренняя вражда всесильных кланов из-за собственности подлила немало масла в огонь межнационального конфликта на Кавказе и в Закавказье.

Хазар как вор в законе первоначально отбывал наказание в спецзоне ИТК-6 УИД УВД Пермской области (так называемый «Белый лебедь»). Пройдя здесь курс «воспитания», авторитеты преступного мира давали подписку об отказе от воровских традиций и сотрудничестве с МВД. Это открывало перед ними возможность быть этапированными в зоны с менее строгим режимом.

Так, дав соответствующую подписку, Хазар оказался в ИТК Омска. Но Омск — традиционный край русских блатарей. Здесь сильны позиции местных авторитетов, и Хазар быстро почувствовал, что ему тут не дадут развернуться.

Видимо, останется загадкой, как Хазар, будучи в системе распределения ГУИД закрепленным за Омским УИД, оказался на Среднем Урале. Однако определенно можно утверждать, что его этапирование было осуществлено целевым порядком, по согласованию с оперативным отделом ГУИД МВД СССР (министр В. Бакатин).

Накаленную обстановку в зонах, чему немало способствовали Лазо и Мамука, умело использовал Хазар. Он убедил начальников, что будет лояльно относиться к установленным порядкам, наладит дисциплину и прекратит массовые неповиновения осужденных администрации. Хазар поручился за своего соплеменника, вора в законе Баса, этапированного в ИТК-40, где также необходимо было навести порядок. В ИТК-5 был посажен Хорь, взявший бразды правления в свои руки после разбоев, чинимых Лазо. Затем в местной ИТК-17 поочередно побывали Мамед и Отар.

Резо, Гвинцадзе Резо Мурзабекович, 1952 года рождения, последний раз осужден в 1978 году по ст. 188, ч. III УК РСФСР (злостное неповиновение администрации колонии). Приговор: 13 лет лишения свободы, конец срока 13.07.91 г.

Отбывая наказание в ИТК УВД Сахалинской области, участвовал в массовых неповиновениях осужденных. Был скомпрометирован оперативным отделом и дал подписку о сотрудничестве. В награду за это был этапирован на Урал. Здесь ему нашелся «приход» — неспокойная ИТК-40. Тут не было крупного воровского авторитета, который мог бы пресекать насилие среди осужденных и гасить частые вспышки массовых недовольств. Правда, в колонии отбывал тогда наказание чемпион мира по боксу Олег Каратаев. Но он был далек от воровских понятий, чтобы управлять уголовной средой в нужном для начальства русле, и не пользовался влиянием[1].

С приходом же в 1990 году в зону вора в законе Баса обстановка в колонии более или менее нормализовалась. Разумеется, никто из осужденных не знал, что Баса дал МВД подписку. Он чинно проводил местные разборки. А как бы между делом продолжал тайно заниматься своим привычным ремеслом — промыслом драгметаллов. Неволя, конечно, существенно сковывала свободу действий, но выручали уголовные авторитеты «городского масштаба». Баса приблизил их к себе и наделил определенными полномочиями.

Один из таких близких к нему авторитетов был некто Казбек, который материально обеспечивал своего шефа в зоне — завозил чай, спиртное, деньги. Взамен Баса открыл Казбеку свои воровские связи на черноморском побережье Кавказа. По наводке Баса Казбек начал контролировать хищения на вагонзаводе деталей от станков с ЧПУ с платиновой и золотой основой, сбывая драгметалл на Юг.

Пользуясь воровской поддержкой с Кавказа, Казбек не признавал местных авторитетов. Почувствовав свою безнаказанность, стал взимать с кооператоров мзду. Более того, потребовал, чтобы ему передали связи с руководством вагонзавода и местными органами власти.

---

[1] 12 января 1994 года О. Каратаев убит в Нью-Йорке выстрелом в затылок.

Возможно, Казбек процветал бы и поныне, но — зарвался. Вымогая деньги у кооператора Долотова, пытался изнасиловать его жену. Это был уже беспредел. Долотов отправился в Свердловск и пожаловался вору в законе Антипу на лихого человека. Антип челобитную принял и прибыл в Тагил для разбирательства. Однако Казбек, чувствуя за своей спиной мощную поддержку семьи Баса, отнесся к Антипу пренебрежительно. Это была роковая ошибка. Надо же все-таки понимать, что такое вор в законе. И будь за твоей спиной даже танковая дивизия, лучше поостеречься.

Разумеется, Казбека тут же, что называется не сходя с места, благополучно зарезали. И в марте 1990 года в Тагиле состоялись первые пышные похороны преступного авторитета. Прибыли представители воровского мира с Кавказа. Гроб несли на руках до самого кладбища. Похоронную процессию сопровождало до 200 легковых автомашин. И похоронили Казбека в лучшем месте, на взгорке, рядом с Героем Социалистического Труда директором знаменитого танкового завода Окуневым.

Знай наших!

Хорь, Загребенников Алексей Васильевич, 1956 года рождения, осужден в 1984 году по ст. ст. 144, ч. III, 198, ч. II УК РСФСР к 7 годам лишения свободы, наркоман. Коронован в качестве вора в законе в тюрьме Златоуста 2 декабря 1989 года. В феврале 1990 года этапирован в ИТК-5 Нижнего Тагила. Отличался лояльным отношением к администрации колонии, насилие порицал. В 1991 году при проведении режимного мероприятия в ИТК был избит спецназовцами, которые заставили его на виду у всей зоны бежать босиком через плац. Проведенной экзекуцией был испуган. Предложил свои услуги руководству колонии: готов был позвонить в ИТК-40 и повлиять на местных авторитетов в зоне, чтобы они при работе спецназа не оказывали сопротивления. Однако у офицера спецназа, случайно оказавшегося рядом, видно, было не самое лучшее настроение. Мало ли огорчений у служивого человека. Короче, вместо благодарности получил Хорь мощнейший удар в челюсть. При обыске же у него было изъято 100 плиток шоколада, несколько бутылок коньяка, большое количество сигарет. Хорь пытался возражать против обыска, ссылаясь на то, что он-де вор в законе, и был снова избит тем же спецназовцем, как видно, слабо разбирающимся в преступной иерархии.

Что и говорить, неважный выдался денек!

Мамед, Илиади Мамед, хронический алкоголик. При очередной попойке был избит Седым, но позже состоялось примирение. В зоне активности не проявлял. Баловался промыслами драгметаллов. К себе внимания не привлекал. Имеет обширные связи за кордоном.

Отар, Отаров Отар Мусабекович, 1959 года рождения, осужден в 1983 году по ст. ст. 207, ч. II, 228, ч. II УК Грузинской ССР к 9 годам 6 месяцам. Коронован в качестве вора в законе в тюрьме Златоуста. Освобожден по концу срока 27.07.92 г.

Перечисленные воры в законе безоговорочно признавали авторитет Хазара как самого старшего и опытного вора («родского»). С приходом Хазара в ИТК-17 для поддержки Седого образовалось созвездие шести признанных авторитетов преступного мира. Для координации своих действий они нуждались в устойчивой связи. И вскоре такая связь начала действовать.

Прежде всего, при попустительстве администрации можно было без труда позвонить из зоны в зону. При необходимости пользовались и междугородной телефонной связью. Спасибо еще, что Нью-Йорк не заказывали. А то при большой нужде могли бы и навертеть номерок. Организовывал этот комфорт связист зоны из осужденных. Он знал номера телефонов администрации ИТК и вольнонаемного персонала. По договоренности с вольнонаемным или же в его отсутствие он переключал номер на аппарат внутризоновской связи, который стоял прямо в спальном помещении у каждого вора в законе.

Бывали случаи, когда нужно было передать важное сообщение или необходимые инструкции. Тогда прибегали к закрытому способу связи (своего рода «фельдсвязь»). Для переправки записок (ксивы, малявы) использовались осужденные, идущие этапом в областную больницу или обратно. Никогда не было ни малейшего повода придраться к «почтальонам» и подвергнуть их обыску, точнее — внутренние полости их организма.

Менее важные сообщения переносят работающие в городе расконвойники, вольнонаемные служащие зон (в основном женщины).

Воровская почта никогда не доверялась коррумпированным сотрудникам, зависящим от авторитетов. Сама возможность подкупа свидетельствовала о ненадежности продажных чинов администрации. К ним, как правило, воровские авторитеты относились с пренебрежением, но старались привязать к себе крепче в интересах уголовной «общественности».

* * *

В 1989 году в уголовной среде области установилось безвластие. Начал бурно развиваться рэкет, в котором участвовала местная молодежь. Наиболее сильная — уралмашевская, возглавлявшаяся Григорием Цыгановым,— группировка отказывалась признавать воровские авторитеты и платить дань в «общак». С этой группировки стали брать пример и другие, появлявшиеся повсюду, точно грибы после дождя. От простого хулиганства на улицах они начали переходить к экономической деятельности. Молодежные группировки быстро набирали организованную силу, тогда как уголовная среда, прошедшая зоны, была разобщена.

Перед Хазаром стояла трудная задача. Еще находясь в СИЗО, он «короновал» в качестве вора в законе по кличке Тимур своего родственника и назначил его «смотрящим». С помощью этой акции Хазар надеялся содействовать распространению воровских традиций, а значит, и сплочению уголовной среды, которая впоследствии могла бы оказывать влияние на молодежь. Достичь поставленной цели было очень непросто. Свердловские «качки» оказались плохо восприимчивы к воровским традициям. Они «молились» лишь грубой физической силе.

И все же «родский» возлагал большие надежды на своего родственника. Тимур как нельзя лучше подходил на роль лидера. Он имел бойцовский характер, ценил дружбу. Местом его постоянной «дислокации» был центральный ресторан «Космос», где он пользовался немалым влиянием и вместе с группой своих единомышленников успешно противостоял многочисленным «бакланам» (неорганизованным хулиганам).

«Коронование» состоялось осенью 1989 года в одном из помещений СИЗО, используемых для следственной работы. Предварительно Хазар обратился к ответственным работникам следственного изолятора с просьбой позволить увидеться с родственником. Непосредственно организовывал встречу сотрудник оперативной части, земляк Хазара. Все подробности «коронования» известны. Они не имеют ничего общего с принятой процедурой. Фактически это был сговор двух кавказских авторитетов, направленный на то, чтобы обуздать местную молодежь и добиться максимального влияния на лишь нарождавшийся тогда кооперативный сектор. Обсуждались также условия для завоза опиума из Ташкента и организация рынка его сбыта.

Тимур оправдывал надежды своего старшего родственника. Ему удалось захватить «общак», принадлежавший местному авторитету Черепанову, а его самого отстранить, привлечь на свою сторону большое количество молодежи. В условиях ИТК в комнатах свиданий стали проводиться сходы воров в законе, на которых решались вопросы преступной активности на Урале. Местные кооператоры, теневые цеховики и прочие представители нелегального и полулегального бизнеса, включая лидеров групп рэкетиров, стали посещать воров в законе, отбывающих наказание, и оказывать им финансовую поддержку. Взамен они получали защиту от заурядных уголовников и вымогателей. В скором времени Хазар расставил своих «смотрящих», помимо Свердловска, в Нижнем Тагиле, Челябинске, Златоусте. Вокруг воров в законе сплотились кооператоры, кавказцы, занимающиеся теневыми промыслами.

Отбывая наказание в ИТК-17, Хазар решил также «короновать» осужденного авторитета из местных по кличке Свердловский. Вкратце история его воровской карьеры такова. В 1989 году этот деятель принял тайное участие в разжигании массового недовольства осужденных. Внешне же подчеркивал свою полную непричастность к организации беспорядков. Однако после договоренности с начальником оперативного отдела Григорьевым ходил по отрядам и «агитировал» осужденных отказаться от планируемой голодовки, не применять насилие к сторонникам администрации и приступить к работе.

После освобождения в 1990 году Свердловский проявляет активность в регионе как курьер преступного мира. Ездит по городам области, встречается с лицами, обеспечивающими поставки в зоны «грева» (деньги, наркотики, продукты питания и т. д.) для поддержки осужденных авторитетов.

Его «коронование» состоялось летом 1991 года в комнате свиданий ИТК-17. На сей раз процедура была проведена по всем воровским правилам. Участие в ней, кроме Хазара, принял также Баса, временно этапированный из ИТК-40. Хазар нашел благовидный предлог: дескать, необходимо вместе подумать над тем, как предотвратить массовые недовольства осужденных. На «короновании» и была провозглашена кличка Свердловский. А «в миру» имя ему — Заостровский[1].

* * *

Находясь в местах лишения свободы, постоянно поддерживая между собою связь, воры в законе жестко контролировали обстановку в преступной среде Среднего Урала. Зоны фактически превратились в штаб-квартиры преступной активности (!). Все нити стягивались к Хазару, чей авторитет общепризнанного лидера никто не подвергал сомнению. Его правой рукой был Седой. «Родский» не скрывал, что очень рассчитывает на авторитет, организаторские способности и волевые качества Седого. Такой лидер на подмогу — считай, полдела сделано. А цели у Хазара были масштабные: открыть рынок сбыта наркотиков на Урале, постепенно распространить свое влияние на структуры, связанные с добычей золота, сконцентрировать в своих руках огромные финансовые средства, полученные за счет преступного мира региона, а там... Впрочем, об этом он никогда не распространялся, предпочитая мечтать про себя о беззаботной жизни в каком-нибудь роскошном местечке под зарубежными пальмами. Основу будущему благополучию должны были положить наркотики. Наркотики — это золотое дно, неисчерпаемое богатство. Желая запустить Седого в дело, Хазар дал ему все свои явки в Ташкенте. Седой тогда уклонился

---

[1] Алексей Заостровский убит выстрелом в упор в казино Екатеринбурга в ноябре 1993 года.

от прямого ответа, не сказав ни «да», ни «нет». И может быть, это было первым «звонком» для Хазара. Но до того как наступит развязка их отношений, должно пройти еще немало времени.

Пока же Седой держит в своих руках связи с группировками рэкетиров в Свердловске. По сути дела (выражаясь со старомодной прямотой), это банды, главари которых регулярно приезжали в ИТК-17 для встречи с Седым, привозили «грев», сообщали о расстановке сил в преступной среде. «Общак» зоны находился в ведении Седого. Его нельзя было обойти, когда решались вопросы с руководством колонии и оперативным отделом УИД о досрочном условном освобождении кого-либо из заключенных, получении других льгот, разрешении свидания с родственниками и прочее.

Возможно, кто-либо удивится, но Седой выполнял также огромную работу организатора (блестящего, между прочим!) уголовной разведки и контрразведки; он располагал агентурной сетью, техническими средствами подслушивания и наблюдения. Прежде всего под его неусыпным контролем находилась вся зона, включая и представителей администрации. Под постоянным наблюдением находился штаб зоны: фиксировались посещения его осужденными и прибывшими начальниками. Предмет особого внимания — сотрудники службы госбезопасности.

Применявшиеся Седым подслушивающие устройства были просты, но достаточно эффективны. Такое приемно-передающее устройство монтировалось в коробку величиной с пачку сигарет. Кто-либо из его приближенных проникал в нужное помещение и подбрасывал невзрачную коробку так, чтобы она не бросалась в глаза. Седой же у себя в комнате прослушивал интересующий его разговор, включив обыкновенный транзисторный приемник, необходимое тут же записывал на магнитную ленту. Это радиопрослушивающее устройство позволяло улавливать и телефонный разговор.

Кстати, о телефонах. Техническая контрразведка Седого отличалась такой высокой организованностью, что не составляло большого труда постоянно контролировать все телефоны, используемые осужденными для разговоров с абонентами, находящимися за пределами ИТК. Это давало Седому возможность владеть всей полнотой информации и принимать упреждающие меры как в отношении администрации, так и осужденных, из числа его противников.

Память Седого вмещала сотни имен, адресов, номеров телефонов, событий и фактов, которые он запоминал по своей схеме. И никогда ничего не записывал. Не человек, а ходячий компьютер.

Особый интерес для Малышева представляли методы агентурной работы Седого. Он имел широкий круг осведомителей как в правоохранительных органах, так и в преступной среде. Несколько агентов, работавших на уголовный розыск и оперативную службу ИТК, одновременно были осведомителями Седого и подробно ему докладывали о тех заданиях, которые получали от представителей официальной власти.

Вот случай, который характеризует возможности Седого и стиль его работы как «контрразведчика». Свердловским УВД был арестован авторитет К. Накануне допроса в кабинете следователя побывал человек Седого (и, разумеется, милицейский осведомитель) и бросил в мусорную корзину подслушивающее радиопередающее устройство. Весь допрос был записан на магнитофонную пленку в автомашине, стоявшей буквально под окнами кабинета. А после допроса тот же самый лазутчик-уголовник назойливо втерся в кабинет к следователю: ему, мол, нужно срочно сообщить важную информацию. А дальше дело техники — незаметно изъять подслушивающее устройство. Конечно, не представляло труда дождаться вечера и проследить, как известная уборщица тетя Нина будет выносить мусор в стоящие во дворе бачки. Но до вечера ждать не хотелось. Поэтому действовали нахрапом. Впоследствии пленку с записью этого допроса у Седого изъяли и уничтожили оперативные сотрудники МВД, не знавшие, что было зафиксировано на ленте.

Другой пример, и не менее любопытный. У Седого возникли определенные подозрения относительно одного человека из близкого окружения: не ведет ли «заединщик» двойной игры? При очередной встрече в комнате свиданий Седой расспросил, кому взятый на подозрение соратник звонил по межгороду по общим связям в определенный срок с квартирного телефона. Тот, ничего не подозревая, назвал пять номеров. По просьбе Седого связист в зоне через своих знакомых на городской АТС проверил, насколько это правда, а заодно поинтересовался, были ли с названного квартирного телефона выходы на другие иногородние номера. Затем, уже через АТС, легко проверили дополнительные телефонные номера, кому они принадлежат и по каким адресам проживают абоненты.

Такой въедливости, «вгрызаемости» не грех поучиться и профессионалу.

Не гнушался Седой контролировать и своих собратьев, воров в законе. Что называется, доверял, но проверял. У него было твердое правило: надежность даже близких союзников он оценивал по тому, насколько этот человек от него зависит и есть ли на союзника компрометирующие сведения.

Столь обширная информационная работа позволила Седому проникнуть в личные тайные замыслы Хазара, о которых не ведала ни одна живая душа. Такая осведомленность стала одной из причин распада воровского союза и начала глубокого конфликта. На улицах уральских городов средь бела дня «заговорили» автоматы. Не редки стали выстрелы из гранатометов. По ночам «работали» снайперы-профессионалы. Очевидно, пользовались лазерными прицелами: по две пули подряд всаживали в одну точку. Чтобы с гарантией. Очередная жертва — наповал, а следов никаких. Наконец дело дошло до того, что одна банда похитила с территории военного завода танк и на нем отправилась выяснять отношения с конкурентами...

РЭКЕТ: ТАНКОВЫЙ РЕЙД

Малышев был в отпуске, когда, сея панику, промчался по улицам современный танк. По возвращении пришлось капитану потратить не один день, чтобы восстановить картину случившегося.

После проливных июльских дождей август выдался на редкость теплым и солнечным. Самая пора развернуть торговлю фруктами. И в город потянулись фуры с Кавказа.

Во главе «фруктового бизнеса» стоял Аслахан Курбанов. Его земляки ингуши доверяли Аслахану, потому что он знал толк в коммерции и никогда не действовал наобум. Вот и теперь, прежде чем двинуться самому, пустил на Урал коммерческую разведку. Та донесла, что в Челябинск лучше не соваться. Там публика хотя и денежная, но кавказцев на дух не переносит, местные бандиты на этот счет однозначно предупредили. Но зато есть городок между Екатеринбургом и Серово — просто тишь и гладь по уральским меркам. Правда, мафиози рвут друг друга на части и здесь. Но только из-за золота и цветных металлов. А вот торговля овощами и фруктами — никем не занятая сфера.

Аслахан своей разведке верил. Двинули. С местным начальством, когда получали право на торговлю, все проблемы решили быстро. И торговля с первого дня пошла как нельзя бойко. Аслахан с удовлетворением оглядывал полиэтиленовые пакеты, туго набитые купюрами. Неплохой навар. И он будет расти с каждым днем, по мере поступления автофургонов. А там, глядишь, в арбузных обрезках пойдет гашиш, конопля. Это уже его личная «маза». А рэкет? Аслахан наслышан о братьях Бурундуковых. Но они наживаются на торговле недвижимостью. Уличный рэкет для них уже мелковат.

В дверь постучали. Аслахан убрал пакеты с деньгами и пошел открывать. На пороге — Алик, его жуликоватый помощник; а за ним — два амбала. Втолкнув Алика, сами едва протиснулись в дверной проем. По-хозяйски развалились в креслах.

— Тебя, кажется, Аслахан зовут? — заговорил один верзила.— И это ты к нам нагнал своей черноты, обираешь работяг в городе? Слушай внимательно. Завтра вас здесь не будет. Свернете весь свой базар, а выручку оставите нам.

Алик кинулся к шкафу за пистолетом и — рухнул на пол: пуля навсегда успокоила его.

— Готовь бабки.— Один из визитеров ткнул в лицо хозяина дулом нагана.

— До скорой встречи,— многозначительно добавил другой.

Верзилы исчезли в темном коридоре.

Придя в себя, Аслахан собрал земляков. По общему мнению, верзилы были из фирмы «Акрополь». Днем они объезжали торговые точки ингушей и предлагали сдать им товар оптом. Но разговор показался несерьезным, и значения ему не придали. А перекупщики, как оказалось, были настроены серьезно...

Посовещавшись, ингуши отнесли труп Алика на улицу, подальше от штаб-квартиры. Один отправился в милицию, чтобы заявить об убийстве, которое совершили неизвестные лица. Остальные, вооружившись автоматом, помчались на автомобиле к «Акрополю». План был такой: ворваться в офис и расстрелять всех, кто там окажется.

Однако Аслахан недаром слыл благоразумным человеком. И он не мог не понимать: слишком неравны силы. И если ингуши втянутся в резню, местные бандиты покрошат их, как капусту. Значит, надо вызывать на помощь земляков из Тюмени, Нижневартовска... Обзвонить всех. А пока... Автомобиль пролетел по проспекту Энтузиастов, выкатил на тротуар и сбавил скорость. Аслахан выставил дуло АКЭма из окна и полоснул очередью по витринам «Акрополя».

К субботе стали слетаться вызванные Аслаханом бойцы, назначили «стрелку» (встречу) для разборки с местными рэкетирами. Но еще до «стрелки» по ночам разрывали тишину звуки выстрелов. На улицах появились БТРы, омоновцы в камуфлированной форме. Шерстили все автомобили, в которых замечали представителей солнечных республик. Людей вытаскивали из салонов и бесцеремонно раскладывали на мокром асфальте. Затем обыскивали с такой тщательностью, что немыслимо было утаить не только оружие, но и маникюрные ножницы.

Аслахана остановили на проспекте Ленина. Уложив ударом ничком, пинками раздвинули ноги и приказали положить руки на затылок. При обыске Аслахан не расслышал какую-то команду и получил сильный удар в грудь. Наконец его посадили в машину и отвезли на двор, обнесенный высоким забором. Там уже было с десяток знакомых земляков, изрядно помятых и перепуганных.

Пристрелившие Алика верзилы к концу дня приехали на сход, проходивший на Пихтовке. У пансионата было оживленно. Несколько иномарок образовали защитное каре, посреди которого тусовались возбужденные «братишки». Вова Чалдон, размахивая руками, выкрикивал: «Да я их маму...! Всех лаврушников порешу!»

Вновь прибывшие узнали, что произошло нападение на офис. Уже разосланы по городу машины, чтобы вылавливать «черных». Несколько человек отправились к вору в законе Артуру за «объявой» (санкцией на наказание).

Приехавшие от Артура передали его слова: «Назначить людям Аслахана «стрелку» и высказать взаимные претензии, не распуская рук».

— Коли стрелять нельзя, давайте нагоним на кавказцев жути,— предложил Чалдон.— Да такой, чтобы они зареклись соваться в наш город.

План у него был не слабый. Чалдону вспомнилось, как он тянул стройбатовскую лямку в степях Байконура. Деды измывались над салагами. Паша Кочнев, в который раз избитый старослужащими, дождался, когда его обидчики ушли в степь на очередную попойку. И отправился вслед за ними. На МАЗе. А степь ровная, что твой стол. Ни ямки, ни кочки. Одна полынь и верблюжья колючка. Несчастным негде укрыться, некуда бежать. Паша начал охотиться за ними. Настигал и давил огромными колесами. Передавил всех пятерых.

— А здесь,— развивал мысль Чалдон,— можно придумать кое-что покруче. И самим уберечься от пуль кавказцев, наверняка они приедут на «стрелку» вооруженными до зубов.

— О чем ты? — спросил кто-то.

— О танке,— не моргнув глазом, ответил Чалдон.

— Как это?

— Очень просто. Подговорить испытателя, который ведет машину с завода на танкодром,— ну, трудно, что ли?

— Элементарно, Ватсон.

— Об чем и речь. Он всегда может отмазаться: мол, угрожали ему. А вздумает трепыхаться, показать ему «лимонку», и все дела. Поведет танк, куда скажем.

— Ну, ты голова! — восхитились соратники.

С утра подъехали на «Жигулях» к дороге, ведущей на танкодром, и встали под тем предлогом, что мотор забарахлил. Ждать пришлось недолго. Вдали показался пыльный шлейф, донесся знакомый лязг и рокот. Вскоре приблизилась приземистая, хищно ощетинившаяся массой приспособлений на броне машина Т-80, идущая на малой скорости.

А дальше все было, как говорится, делом техники. Нырнув в стальное чрево, братва помчалась со своим «штатным» механиком-водителем в город. И прямиком — к офису «Акрополя». Пусть все видят, у кого настоящая сила. Современный танк — это не какой-нибудь «калашник»...

Этот демарш произвел большое впечатление на многих. И в следующий раз, когда бандиты демонстративно провезут по городским улицам ракету стратегического назначения, никто особенно не удивится. Рэкетирам все по плечу, они все могут.

В те самые минуты, когда танк мчался по городу, вор в законе Артур принимал у себя дома аксакалов ингушей. Артур понимал, что должен погасить не на шутку разразившийся конфликт. А то, глядишь, на Урале откроется антикавказский фронт. Местных работяг не удержишь, если начнут вооружаться. Тогда сворачивай воровской «околоток».

Разговор с аксакалами затягивался. Гости жаловались на беспредел, неужели нельзя обуздать рэкетиров? Из-за них прогорает торговля. А дома остались семьи, которые нужно кормить.

— Хоп! — поднял руку Артур. Он потребовал убрать из города всех съехавшихся для разборки ингушей.— На улицах свирепствует ОМОН, вчера меня самого избили за здорово живешь.— Артур задрал рубаху и показал рубцы на теле.— Остальное беру на себя.

И впрямь, отвадил рэкетиров. Понял тогда Малышев, что слово вора в законе — аргумент, пожалуй, более весомый, чем танковый калибр.

ТАЙНОЕ ОРУДИЕ КГБ

Мысли капитана Малышева подолгу занимала фигура Седого. Конечно, он далеко не ординарная личность. И все же отнюдь не исключительная.

Авторитет авторитету рознь. Профессия эта вредная, и не все выдерживают нервное напряжение. Многие, даже самые известные, «сидят на игле» или «бухают по-черному». Таким уже никогда не подняться на самую вершину воровского Олимпа, и конец их недалек. Вор в законе должен быть свободен, в том числе и от «вредных привычек».

Но в чем все лидеры преступного мира схожи между собой, так это в том, что они не терпят возле себя дураков. А уж сами они на голову выше своего окружения. Поэтому «заполевать» вора в законе зачастую бывает ничуть не легче, чем поймать в силок матерого волка.

КГБ был мощнейшей организацией. Но ведь и трактор на гусеничном ходу мощная машина, однако ж на нем не охотятся. И, как говорится, в один прекрасный день профессионалы осознали, что для борьбы с преступным миром им необходим новый, изощренный инструментарий.

С некоторых пор криминалитеты постоянно чувствовали на своем затылке дыхание КГБ. Даже в тесных воровских кутках им чудилось присутствие агентов. Казалось, стоит лишь протянуть руку... И протягивали, и хватали... И ничего, пустота. Случалось, что «честнейшие» преступники объявлялись офицерами КГБ, а затем с ними беспощадно расправлялись.

Так что же, все эти подозрения были не более чем пустая мнительность? Нет, обостренное чутье не подводило воров в законе. Но одно дело инстинктивно ощущать опасность, и совсем другое — верно определить источник, откуда она исходит. А тут преступный мир оказывался бессилен. В оправдание авторитетов можно заметить, что в схожих ситуациях проявляли беспомощность и признанные мастера сыска веймарской Германии, когда подобный метод использовался для создания антифашистского подполья. (Ничто не ново под луной.)

О чем все-таки идет речь? Малышев участвовал в уникальной операции, которая до недавнего времени имела гриф самой строгой секретности.

После неудачной попытки покушения на генсека было намечено зондирование обстоятельств причастности к центральному террору некоторых лидеров преступного мира. Что учитывалось, кроме всего прочего? На юге СССР, прежде всего в Армении, Грузии, Молдавии, наиболее полно проявлялось сближение, а в иных случаях и сращивание, воровских кланов с государственными инстанциями. Предмет особой заботы должна была представлять также Уральская зона, соединяющая Восток и Центр России. Урал в газетных передовицах тех лет не без основания называли «всесоюзной кузницей» и «становым хребтом промышленности». И в этом же стратегически важном для экономики страны регионе, наиболее насыщенном исправительно-трудовыми учреждениями, с середины 80-х годов начали стремительно распространяться воровские традиции.

Таким образом, были определены территории, которые требовали плотного оперативного контроля.

Разработанная система контроля отличалась чрезвычайной простотой и строилась на принципах структурной организации самого преступного мира — абсолютная закрытость от государственных органов, опора на исполнительскую базу уголовной среды, самоустранение лидирующего звена от прямого участия в конкретных акциях.

В одном только 1988 году было создано четыре региональные оперативные группы: «Бизань», «Вулкан», «Вера» и «Тая». Названия не случайны, в них заложены смысловые характеристики кураторов (руководителей-исполнителей) групп. Центральное лицо, к которому стекалась вся информация, знало лично каждого из кураторов и район дислокации его группы. Но сведения поступали отовсюду одновременно, касались одних и тех же событий и лиц и по содержанию могли перехлестываться. Поэтому каждый источник материалов должен был иметь свой «отличительный знак».

«Бизань» — название корабельной РЛС разведки, куратор этой группы в прошлом был моряк-разведчик. «Веру» и «Таю» курировали женщины, а «Вулкан» — бывший ученый-вулканолог. Все они — профессиональные чекисты, занимающие руоводящие должности в территориальных Управлениях КГБ; прежде работали во внешнеполитической разведке и имели соответствующую подготовку.

Кураторы руководили своими группами, как правило, через двух доверенных и опытных оперативных работников, также прошедших подготовку в учебном центре ПГУ КГБ СССР. Эти оперработники непосредственно возглавляли пятерки, куда тайно входили сотрудники МВД (в основном из уголовного розыска), доверенный работник Прокуратуры и наиболее ценные агенты КГБ, имеющие каналы связи с преступным миром. Каждый из членов «головной» пятерки, в свою очередь, имел собственную пятерку, которую обычно называли карманной агентурой. Это были люди из различных полномочных инстанций и уголовной среды, полезные в получении и проверке информации; благодаря им также создавались необходимые условия для успешного проведения какого-либо мероприятия. Члены пятерки, которой руководили оперработники, не знали друг друга как агентов оперативной группы, но ясно представляли себе свою роль и сознательно помогали КГБ. Что же касается карманной агентуры, то она использовалась «втемную», благодаря личным хорошим взаимоотношениям или служебной зависимости.

Оперативные группы самостоятельно добывали и проверяли интересующую информацию. Передавал ее только куратор, как правило, при личной встрече с центральным руководителем. Изредка использовалась срочная связь по ВЧ, еще реже — обычная междугородная телефонная связь. Но при беседе по телефону употребляли лишь легендированные и обусловленные фразы, не способные вызвать интерес у того, кто случайно или намеренно прослушает разговор.

Глубокая конспирация не означала, что группы должны были тайно контролировать местное руководство. Объекты деятельности очерчивались четко — лидеры преступных группировок. Утечки информации почти никогда не случалось. Хотя группа «Бизань», например, оставила на Среднем Урале некоторый след. Но это было связано с чрезвычайной активностью свердловских «гангстеров».

«Бизань» была сформирована раньше, чем возникла самая первая преступная группировка на Урале. Фактически «Бизань» изначально фиксировала все процессы складывания бандформирований, знала многие подробности об их лидерах и исполнителях.

Хазар, прочащий себя на пост главы всей мафии Среднего Урала, мог догадываться о существовании такой группы. И когда в 1990 году в Екатеринбурге начались убийства криминальных коммерсантов и «пехотинцев»[1] различных группировок, Хазар, чтобы отвести от себя подозрения (не дай бог братва узнает о его причастности к гремящим днем и ночью выстрелам), распространил слух, будто убийства совершает секретная команда КГБ «Альфа». В действительности же «Бизань» едва-едва сумела оградить от ножа и пули некоторых функционеров преступного мира, на которых авторитеты поставили «крест». И при этом за все время своего существования не сделала ни одного прокола.

В своей деятельности «Бизань», бывало, прибегала к специальным оперативно-боевым спосо-

---

[1] Рядовые преступного мира.

бам действий. Скажем, необходимо «взять на компрматериалах» какое-либо влиятельное в преступном мире лицо и склонить его стать информатором. В этом случае обеспечивался конспиративный прием боевой группы, которая прибывала под надежной легендой. Все офицеры имели изготовленные в ПГУ документы, зашифровывающие их личность. Обычно они участвовали в «острых» мероприятиях, где требовались особые качества — ни в чем не уступать уголовным «торпедам» (уголовники, которые из-за карточного проигрыша или в силу каких-либо других причин обязаны под страхом смерти совершать по приказу убийства или любые другие преступления). В своей работе конспиративные группы активно использовали скрытые видео-, радио- и подслушивающую технику. Вооружение, как правило,— пистолет Стечкина. Следует заметить, однако, что оперативно-боевые способы применялись лишь в исключительных случаях.

Нельзя сказать, что деятельность тайных групп КГБ представляет собой нечто совсем из ряда вон выходящее. В советской разведке были штатные подразделения, которые проводили активные мероприятия за рубежом. Например, в пятидесятые годы 4-е Управление КГБ. Во всех спецслужбах Запада такие подразделения существуют и по сей день. Особенно актуально их использование сегодня в связи с распространением международного терроризма и наркобизнеса. Можно спорить о правомерности существования подобных методов тайной деятельности. Но когда на карту ставится национальная безопасность, трудно аргументировать их незаконность. Известно, что французская «Аксьенсервис» в 1963 году, используя именно оперативно-боевые методы, покончила с террористической организацией ОАС, ставившей своей целью свержение Третьей республики и физическое уничтожение генерала де Голля.

И последнее. Прародителем групп «Бизань», «Вулкан», «Вера», «Тая» и других был Семен Николаевич Ростовский, известный на Западе как журналист Эрнст Генри. Свою карьеру чекиста он закончил в 1988 году, работая в 5-м Управлении КГБ СССР. Мог ли Эрнст Генри подумать тогда, в те далекие годы, что разработанные им методы тайного влияния на молодежные организации и правительственные круги, применявшиеся ОГПУ в Германии накануне прихода Гитлера к власти, спустя десятилетия вновь окажутся актуальными и будут взяты на вооружение,— но уже не в чужой, а в своей стране... на территории преданного и погибающего государства.

ЗАПАСНОЙ ПАТРОН

Пухлая стопка бумаг. Материалы общей профилактики по предупреждению массовых беспорядков в ИТК. Все-таки чудным языком они пользуются в своей работе, в жизни так не говорят. Хотя в жизни, бывает, говорят еще хлеще.

Эти филологические размышления были навеяны исключительно благодушием, какое испытывал капитан Малышев, ставя скрепляющую печать на последних листах. Надо полагать, Лазо не раз и не два вспомнит знакомство с сотрудником службы госбезопасности. Ну, что же? Как говорится, по делам вору и мука.

Покончив с этой рутинной работой, Малышев удовлетворенно щелкнул пальцами и уже хотел закурить, как ожил селектор внутренней связи. Голос начальника городского отдела КГБ Фомина: «Максим Андреевич, зайдите ко мне. Тут прибыли товарищи из Центра, просят ознакомить их с оперативными материалами литерного дела № 100, захватите их с собой».

В просторном кабинете за столом, напротив начальника горотдела, сидели два представительных пожилых человека с начальственной осанкой. Безукоризненно сшитые костюмы, ослепительной белизны сорочки с подобранными в тон галстуками выдавали в них «птиц высокого полета». По тому, как они отреагировали на появление старшего оперуполномоченного Малышева, стало ясно: что-то неладное. Малышев догадался: сейчас начнут докапываться до материалов, о существовании которых знали только он и начальник отдела Фомин. Видно, просочившаяся информация об инициативах чекистов Урала по вскрытию коррупции в высших эшелонах власти была не с восторгом встречена в приемной председателя КГБ СССР.

Никто не сказал Малышеву «здрасьте». Тип, что сидел справа от Фомина, просверлил капитана взглядом и задал вопрос:

— Какие в деле зафиксированы материалы о коррупции среди партийно-советского руководства?

— Таких материалов нет,— ответил Малышев.— Есть лишь отдельные сведения о возможных нарушениях соцзаконности со стороны ответственных работников. Информация нуждается в серьезной проверке.

— А вам известно, что собирать подобные сведения запрещено, вы разжигаете тем самым недоверие к руководящим инстанциям государства? — Это прокаркала вторая «птица высокого полета».

Малышев маленько завелся. Поэтому, прежде чем ответить, сосчитал от десяти до единицы.

— Я впервые слышу, что нужно скрывать информацию о возможных преступлениях должностных лиц. Не ставилась цель — сбор такого рода фактов. Они выясняются в ходе оперативной работы по контролю за секретоносителями, отбывающими наказание в спецколонии, куратором которой я являюсь.

— Вы больше не будете курировать это направление, уже даны соответствующие распоряжения начальнику вашего управления. Возьмите бумагу и напишите все, что вам стало известно. А дело оставьте нам, мы ознакомимся. Идите.

Что оставалось делать? Малышев сказал «есть», четко, по-военному сделал поворот кругом и вышел.

Первое, что вспомнилось капитану сразу после столь милой беседы,— это слова старого полковника милиции, по недоразумению оказавшегося в зоне усиленного режима: «Чекист должен всегда иметь в кармане запасной патрон». Тогда он понял буквально: чтобы застрелиться. И только сейчас до него дошло, что этот запасной патрон — последний козырь, убийственная и абсолютно точная информация, которая до поры, до времени никому не раскрывалась. Он такую информацию имел. Посмотрим, как ее переварят эти гладкие ребята. И не расстроятся ли от нее желудки кое у кого на самом верху.

ОБЪЯСНИТЕЛЬНАЯ ЗАПИСКА

Мною, старшим оперуполномоченным Управления КГБ СССР по области капитаном Малышевым М. А., в течение трех лет проводилась работа в местах заключения по контрразведывательному обеспечению спецконтингента из числа осужденных — секретоносителей, занимавших до осуждения руководящие должности в органах власти и управления. Это партийно-советские работники, руководящий и начальствующий состав правоохранительных органов, служащие высокого ранга хозяйственных структур и экономики.

Результаты контрразведывательной работы по пресечению утечки секретной информации от этих лиц зафиксированы в материалах литерного дела № 100. Выявлены и пресечены факты инициативного сбора шпионских сведений с целью передачи иностранным спецслужбам со стороны бывшего прокурора Прокуратуры Москвы Сарховатова и других лиц, предупреждены усилия по организации антисоветского подполья со стороны бывших должностных лиц Прокуратуры и МВД Армении и так далее.

Однако в ходе оперативной работы по информации КГБ СССР мною обнаружены факты незаконного осуждения некоторых бывших должностных лиц, ставших жертвами клеветы и дезинформации, умышленного их устранения за попытки сделать достоянием гласности ряд серьезных преступлений. Истинные виновники этих преступлений до сих пор занимают руководящие должности в госаппарате. Кроме того, установлено, что в устранении честных работников путем их незаконного осуждения зачастую участвовали представители преступного мира, обеспечивая интересы коррумпированных чинов.

Так, в ходе изучения объекта дела оперативной проверки Serобяна, бывшего работника прокуратуры Армении, осужденного за взятки, выяснено следующее.

В 1976 году некто Катвалян Гарик Тигранович совместно с двумя другими ветеранами получил информацию от своих друзей, что группа их земляков готовит взрывное устройство для производства взрывов в Москве. Эта информация с указанием лиц, причастных к подготовке террористических актов, и места изготовления взрывного устройства была в письменном виде направлена в КГБ и МВД Армении. Однако ей не придали значения. Результат известен. Взрывы, прогремевшие в метро и других общественных местах Москвы, повлекли за собой многочисленные жертвы. Катвалян же обратился к работнику прокуратуры Армении Серобяну за помощью в разоблачении должностных лиц партийно-советского аппарата республики, в том числе первого секретаря ЦК компартии Армении Демирчяна, прокурора республики и других высокопоставленных лиц, замешанных в сокрытии различных преступлений.

Серобян оказал помощь в составлении письма о злоупотреблениях в республике; письмо это было направлено в ЦК КПСС, а также председателю КГБ СССР Ю. В. Андропову. Развязка дела оказалась неожиданной. Все причастные к составлению письма, в том числе и Серобян, были скомпрометированы и по сфабрикованным уголовным делам осуждены на длительные сроки лишения свободы. Для отбытия наказания отправлены на Урал в город Иркутск.

По прибытии в ИТК для отбытия наказания Серобян по информации председателя КГБ Армении Юзбащьяна был взят в проверку как лицо, занимающееся подрывом общественного и государственного строя путем сбора клеветнической информации на партийно-советское руководство.

В январе 1987 года в колонию для встречи с Серобяном прибыл некто Маленков от армянского уголовного авторитета по кличке «Пайлак», отбывавшего наказание в Красноярском крае. Маленков рассказал Серобяну, что в его компрометации принимали участие люди Пайлака. Сам Пайлак неоднократно встречался с Демирчяном и другими руководителями республики по поводу устранения неугодных людей. Эти беседы Пайлак, будучи человеком предусмотрительным, скрытно записывал на магнитофон, а затем передал записи на хранение Маленкову. В 1981 году Демирчян принял меры по изоляции Пайлака, который знал слишком много и потому стал опасен. Пайлак был арестован и осужден на длительный срок. Со слов Маленкова, Пайлак стал предпринимать шаги, чтобы разумнее распорядиться ценными магнитофонными записями. Предложил Серобяну принять участие в намечавшейся «игре». Однако последний, опасаясь провокации, отказался.

Вероятно, произошла утечка информации о наличии этих записей. Председатель КГБ Армении Юзбащьян, выполняя приказ Демирчяна разыскать и во что бы то ни стало изъять пленки, направил под видом журналиста для встречи с Серобяном своего агента, жену бывшего сотрудника КГБ Армении, осужденного за взятки.

Братва гуляет в ИТК

«Пехотинцы» преступного мира в зоне

Фотография на память

«Кенты» в зоне

Блатной куток

Кому зона, а кому дом родной

Авторитеты.

«Выставка»

Юзбащьян обещал, что поможет мужу в освобож дении из заключения, если она выполнит поручение. В оперативном обеспечении этой встречи с Серобяном участвовали наши оперативные работники, дезинформированные о истинных целях встречи. Однако агенту Юзбащьяна не удалось что-либо выведать у Серобяна о существовании компрометирующих материалов. Беседы между ними фактически не получилось.

В дальнейшем мне приходилось неоднократно получать из КГБ Армении ориентировки по инициативе Юзбащьяна на других осужденных, проверка которых давала обратный результат. Но одна информация меня очень заинтересовала. Речь шла о незаконном оформлении выездных документов для постоянного жительства в США некоего Мартиросяна, который поддерживал дружеские связи с работником разведки (ПГУ КГБ), бывшим заместителем резидента в Лаосе Авакяном Хачатуром Артаковичем. Последний впоследствии был осужден за взятки на 15 лет лишения свободы. Через своих источников в уголовной среде я выяснил, что в колонию, где отбывал наказание Авакян, нелегально приезжал сотрудник инспекции КГБ Армении Цейтурян и просил осужденного Н. собрать информацию о поведении в зоне Авакяна. При этом Цейтурян недвусмысленно намекал, что Авакян якобы завербован американской разведкой во время одной из своих командировок в США.

Я запросил уголовное дело Авакяна в трибунале Закавказского военного округа, чтобы изучить обстоятельства совершения им преступления. Оказалось, что при внимательном изучении протокола судебного расследования достаточно легко выяснить причину интереса Юзбащьяна к поведению осужденного Авакяна в заключении. Дело в том, что к незаконному выезду в США на постоянное жительство имеет прямое отношение сам председатель КГБ Армении Юзбащьян, что тщательно скрывалось всей следственной процедурой. В деле Авакяна имеется письмо его жены, в котором она сообщала: «Начались твои несчастья с того, что поймали Жору Мартиросяна. Им занялись в Москве, и естественно встал вопрос: кто и как его выпустил в США? Я верю, что не ты решал этот вопрос. Но тогда кто? Конечно, люди с самого верха. Трогать их не посмели, а тут твое имя фигурировало. Вот и нашли козла отпущения».

Выяснив обстоятельства выезда Мартиросяна в США на постоянное жительство, я пришел к выводу, что он оформил необходимые документы с помощью руководства КГБ Армении. При оформлении разрешения на выезд был скрыт тот факт, что Мартиросян имеет судимость за уголовное преступление. А по законодательству США лица, судимые за уголовные преступления, на постоянное жительство не принимаются.

Кроме того, Юзбащьян имел косвенное отношение к родственнице Мартиросяна по фамилии Унджан, постоянно проживающей в США. Он интересовался материалами на Унджан, хранившимися в 10-м отделении КГБ Армении. Унджан и Мартиросян могли быть в поле зрения ФБР США. И тот, кто был причастен к организации выезда Мартиросяна, не мог этого не предполагать. Следовательно, это лицо само было «в поле притяжения» спецслужб США.

Этими соображениями я поделился с одним из высокопоставленных работников КГБ СССР, когда участвовал в обеспечении проводимых им мероприятий. О подозрениях в отношении Юзбащьяна этот генерал доложил зампреду КГБ СССР Агееву. Вскоре Юзбащьян был отправлен на пенсию.

Но и это еще не все. Впоследствии мне стало известно, что с санкции Юзбащьяна через КПП аэропорта Еревана за границу отправлялись нумизматические ценности, значащиеся в каталогах как художественные редкости. Все это делалось под предлогом материального обеспечения агентуры, выводимой за рубеж. Однако не нужно быть оперработником, чтобы испытывать на сей счет определенные сомнения. Как можно ценой достояния государства обеспечивать внешнюю безопасность? Само по себе это преступно. Кроме того, за подобного рода действиями вполне могло скрываться банальное желание вывезти за рубеж валютные ценности.

Не составляло особого труда проверить эту версию через отбывающих наказание лиц, осужденных в Армении за контрабанду валютных ценностей. В этом мне помогли коллеги из КГБ Армении, к которым я обратился по рекомендации Авакяна. Первое, что мне стало известно, это странное поведение председателя КГБ Армении Юзбащьяна. Он тщательно скрывал от руководства КГБ СССР информацию о действиях в республике представителей международной армянской террористической организации — Армянская секретная армия освобождения Армении «Асала», созданной взамен «Дашнакцутюн». Именно этой организации принадлежит разработка взрывов в Московском метро зимой 1977 года.

Юзбащьян всячески препятствовал приезду в Армению с проверкой кураторов из КГБ СССР по линии защиты экономики. Это вызывало понятную нервозность соответствующих руководящих работников КГБ СССР. По согласованию с одним из генералов я продолжил поиск путей, по которым валютные ценности переправлялись за рубеж.

Прежде всего по заведенным делам оперативной проверки «Авантюрист» и «Дашнак» я установил активных функционеров «Асала» — указанного Мартиросяна, участвовавшего в компрометации заместителя резидента ПГУ в Лаосе Авакяна, и Оганесяна — боевика «Асала», попавшего по пустяковому делу в места лишения свободы. Ранее оба они занимались контрабандой валюты.

Анализ материалов, полученных от «Авантюриста», свидетельствовал, что Юзбащьян фактически был завербован «Асала» как агент влияния для создания условий безопасной деятельности членов организации. Вот почему «Асала», которая имеет разветвленные связи в правительственных и партийных инстанциях Армении, практически никому не известна. Ее генеральная линия — мирное перерождение существующей власти Армении в надежный механизм достижения поставленных политических целей: расширение территории, отделение от СССР. Происходит концентрация сил сепаратистов в Нагорном Карабахе. Несомненно, первый удар будет нанесен в этой области по мусульманам. В цели «Асала» входят также акции мести за геноцид армянского народа в 1918—1919 годах.

Обращает на себя внимание тот факт, что боевики «Асала» при осуществлении своих акций ссылаются на санкции органов КГБ. Например, вербовки осуществляются от имени сотрудников КГБ Армении. Так, к осужденному Мартикяну, находившемуся в следственном изоляторе МВД республики, было вербовочное предложение от лиц, которые выдавали себя за сотрудников органов госбезопасности. Эти лица просили Мартикяна сообщить компрометирующие данные на одну заслуженную артистку в обмен на пересмотр уголовного дела и освобождение из-под стражи. Мартикян отклонил это предложение. Судя по его описаниям, прибывших к нему лиц вряд ли можно отнести к кадровым сотрудникам КГБ.

Упомянутый ранее Мартиросян искренне считал себя агентом КГБ, поскольку выполнял поручения сотрудников госбезопасности и лично Юзбащьяна. Мартиросян с большим трудом переносил суровые условия в колонии, а потому легко пошел со мной на контакт, надеясь на поддержку и защиту от заурядной уголовщины в зоне.

По указке своих патронов из «Асала» Юзбащьян санкционировал выезд за рубеж лиц с валютными ценностями под видом агентов КГБ, как это видно по оперативным документам. Сотрудники КГБ обеспечивали этим лицам беспрепятственное прохождение через КПП в аэропорту Еревана. Протеже Юзбащьяна эмигрировали в Ливан на постоянное жительство.

Бывший сотрудник таможни на КПП Еревана дал перечень вывезенных ценностей, виденных им лично при проверке выезжающих.

Старший оперуполномоченный
капитан *М. А. Малышев.*

Позднее Малышеву рассказывали, что московские высокие гости, прочитав «объяснительную записку», заметно «сбледнули с лица». Утаить такой документ они не могли. Бумага сыграла свою роль в столичном политическом раскладе. Что же касается «провинностей» капитана Малышева, то они были оставлены без последствий.

Наступил 1993 год, необыкновенно богатый на кровавые события. Как сообщала «Комсомольская правда»,террористы Оганесян и Мартиросян прибыли в Лондон, чтобы привести в исполнение приговор в отношении братьев Уциевых. Работа была сделана профессионально — один выстрел в голову на поражение и два страховочных.

Скотланд-Ярд арестовал убийц. Оганесян на допросах и в процессе суда в Олд-Бейли держался стойко, трудно сказать, на что он надеялся, получив по приговору суда пожизненное заключение. Возможно, рассчитывает на счастливый случай в будущем: вдруг в Армении арестуют английского шпиона, тогда возможен обмен. А вот Мартиросян скис. Он был впечатлительным малым и всегда предавал своих друзей в надежде на снисхождение органов правопорядка и спецслужб. Мартиросян сознался, что является агентом КГБ. Но в действительности он никогда не был агентом и не мог им быть. Поняв безысходность своего положения, Мартиросян повесился в камере британской тюрьмы.

Незавидная участь ждала и Юзбащьяна. В августе 1993 года, почти одновременно с братьями Уциевыми, он был застрелен в Ереване неизвестными лицами.

ШЕФЫ СЛУЖБЫ ГОСБЕЗОПАСНОСТИ

Иногда захаживал Малышев в ресторанчик при железнодорожном вокзале. Бывало, что с работником уголовного розыска. Клава там такая. Подавальщица. Ничего особенного. Только непонятно, как ее со столь чистыми глазами занесло в это злачное место. Да Малышев и не особенно раздумывал. Своих забот полон рот. А только эта Клава однажды присела к нему за столик, видно, крепко ее в тот день допекли, уставилась на Малышева своими чистыми глазами и спрашивает:

— Вот вы КГБ, вас все боятся. А как же так получается, что ворье скоро все к своим рукам приберет.

Эх, Клава, Клава! Спросила бы что полегче. Впрочем, известно, что рыба гниет с головы. Может, в этом все дело?

В 1967 году пост председателя КГБ СССР занял Ю. В. Андропов. Он стал первым, со времен Берии, шефом службы государственной безопасности, входившим в состав Политбюро ЦК КПСС. Конечно, прежде всего Брежнев был заинтересован в полном партийном господстве над КГБ. Ежегодные партийные наборы на руководящие должности катастрофически извратили профессиональный стиль, складывавшийся десятилетиями. По духу КГБ превратился в полугражданскую организацию, хотя сотрудники носили военную форму и руководство пыталось насаждать армейский устав. Разумеется, всепроникающее влияние партийного руководства неминуемо сказалось в работе — чинопочитание, боязнь возразить начальству, стремление подстроиться даже под недостатки руководителей... Все это делало личный состав слепым и глухим к реально развивающейся обстановке.

Два протеже Брежнева — С. К. Цвигун и В. М. Чебриков были фактически соглядатаями в КГБ, они стояли на страже партийной принципиальности и соблюдения принципа партийного руководства. Тайны партии и личные секреты ее руководителей не должны быть известны широким массам. Именно для этого и использовался Андроповым и его окружением потенциал КГБ.

Для того чтобы обеспечить незыблемость партийной власти, Андропов в своей деятельности руководствовался теорией заговоров, угрожающих извне. Так, выступая в октябре 1968 года перед комсомольцами Центрального аппарата КГБ, председатель Андропов заявил: «Враг оказывает прямую и косвенную поддержку контрреволюционным элементам, предпринимает идеологические диверсии, создает всевозможные антисоциалистические, антисоветские и другие враждебно настроенные организации, раздувает пожар национализма. Яркое тому подтверждение — события в Чехословакии, где трудящиеся при братской международной поддержке стран социалистического содружества решительно пресекли попытку контрреволюционеров свернуть Чехословакию с социалистического пути».

По мнению Андропова, изменение соотношения сил в пользу социализма неизбежно ведет к попыткам Запада подорвать его успех. Это походило на сталинский постулат — по мере укрепления социализма усиливается классовая борьба. К чему этот постулат привел, мы знаем. Андроповская доктрина заговоров также приведет к человеческим трагедиям, крови, Афганистану.

Паранойя заговоров не обошла стороной и личный оперативный состав контрразведки. Сверху поступали многочисленные приказы и указания, в которых было одно — искать шпионов и лиц, занимающихся антисоветской деятельностью в органах милиции. Все понимали бредовость (иначе не скажешь) подобных установок, но не могли не выполнять их, а вернее, создавали видимость усердия. Все это приводило к деградации профессионализма. Не способствовали его повышению и запреты на все новое в оперативной работе.

Проводником запретов, и прежде всего запрета на правду, был в первую очередь сам Андропов. Он безжалостно расправлялся с ослушниками, даже если речь шла о самых заслуженных работниках. Известен случай. В 1970 году маститый разведчик Конон Трофимович Молодый посетил автомобильный завод имени Ленинского комсомола, где была организована встреча с рабочими. Познакомившись с предприятием, считавшимся одним из передовых, Молодый был просто поражен неумелой организацией производства. Известно, что, работая за рубежом в качестве нелегала, он был владельцем ряда фирм, опытным предпринимателем. В публичном выступлении он высказал несколько соображений, как можно добиться образцовой организации производства. На другой же день по личному указанию Андропова Молодый был отправлен на пенсию.

После того как Андропов был избран Генеральным секретарем ЦК КПСС, должность председателя КГБ на короткий срок занял Виталий Васильевич Федорчук, который безоговорочно поддерживал всемерное усиление борьбы с антисоветизмом. Пробыл он на этом посту несколько месяцев, с мая по декабрь 1982 года. Но этого срока хватило, чтобы подготовить дальнейшее усиление влияния КГБ в советском обществе. Ярый бюрократ, Федорчук был нетерпим ко всему, что не вписывалось в установленные партийные нормы. Он всего себя отдавал ужесточению дисциплины.

К тому времени покончил жизнь самоубийством Н. А. Щелоков. Федорчук был назначен на освободившуюся должность министра, чтобы навести порядок в органах МВД. И надо сказать, что именно бездумная поддержка Федорчука позволила руководителю следственной группы Генеральной прокуратуры СССР Т. Гдляну и его правой руке Н. Иванову «перепахать» все МВД Узбекистана, отправить за решетку его руководство и в конечном итоге обескровить органы милиции в республике.

Оставаясь на андроповских позициях, согласно которым стране грозили бесчисленные заговоры, Федорчук внес в эту «теорию» новое содержание. Главный удар он направил на взяточников в органах власти и управления. В то же самое время он не имел ни малейшего представления, откуда берутся взяточники и кто стоит за ними. В тени оставался главный вопрос: каковы источники происхождения и кто хозяин того огромного криминального капитала, который составляют взятки.

Что же касается Гдляна, выпестованного Федорчуком, то тут возникают некоторые вопросы. Служба занесла капитана Малышева в Ташкент как раз в то время, когда туда прибыл Гдлян. И все бы хорошо, но Малышева не могло не удивлять, что, когда руководители республики заключались под стражу, вор в законе Каграманян разгуливал на свободе. Может быть, Гдлян был настолько занят поиском коррупции в высших эшелонах власти, что до вора в законе у него просто не доходили руки? Все может быть. Во всяком случае, Каграманян был полным властителем Ташкента до конца восьмидесятых годов, пока там трудилась в поте лица группа Гдляна.

На заслуженный отдых Федорчука отправили в 1986 году, когда стали просачиваться сведения о неблаговидных делах Гдляна.

Должность же председателя КГБ с декабря 1982 года занимал Виктор Михайлович Чебриков, который находился на этом посту до 1988 года. Он внес значительный «вклад» в разоблачение шпионов и взяточников в органах госбезопасности. Действовал по принципу «бей своих, чтобы чужие боялись». Так, он виртуозно превратил сотрудника разведки Бориса Южина в шпиона, по-отечески убедив «сыночка» признаться в том, что ФБР США стремилось установить с ним агентурные отношения.

Одна из «генеральных линий» Чебрикова — утаивать материалы о преступных группировках, которые (как это ни покажется парадоксальным) в своих интересах и собственной «оркестровке» вели борьбу с крупными взяточниками. Взяточники эти, хотя и занимали высокие должности, в действительности были подставными фигурами. И тот же вор в законе Каграманян, по достаточно основательной версии, был убит армянскими уголовными боевиками за то, что слишком много знал.

Между тем деятельность Гдляна в Узбекистане и его сенсационные заявления о «кремлевской мафии» способствовали возникновению очередной версии о попытке заговора против партии под предлогом борьбы с коррупцией.

Автором этой идеи был Владимир Александрович Крючков, сменивший Чебрикова в 1988 году на посту председателя КГБ СССР. Новый шеф службы безопасности был воспитанником Андропова, если так можно сказать. Андропов вел его за собой с 1956 года, после событий в Венгрии, где был послом. Став председателем КГБ, Андропов назначил Крючкова начальником самого секретного подразделения КГБ — секретариата, а в 1974 году, сменив профессионального разведчика Федора Константиновича Мортина, ввел в должность руководителя ПГУ (Первое главное управление, внешнеполитическая разведка).

По свидетельству ближайшего окружения, Крючков — энергичный и абсолютно неулыбчивый человек. Он отличался огромной работоспособностью, никогда не выпивал и не курил и, в отличие от других, абсолютно не признавал укоренившейся традиции обмывать новые звания и назначения. При этом он проявлял организаторскую сноровку, свойственную только энергичному исполнителю, и такую политическую ловкость, которая бы сделала честь опытному царедворцу. Занятие спортом было для него неотъемлемой частью жизни. Он не мыслил дня без физических упражнений. Возможно, этот аскетизм и был той причиной, которая позволяла ему пренебрежительно относиться к курящему, пьющему окружению. Крючков никогда не терял присутствия духа. Даже находясь в «Матросской Тишине» после провалившегося путча, он вел организованный образ жизни. По утрам делал интенсивную зарядку в течение сорока минут, до пота. Много читал, работал над материалами уголовного дела. Охранявшие его спецназовцы, которые наблюдали все это, невольно прониклись к нему уважением.

Переняв от Андропова концепцию заговоров, Крючков строил стратегию и тактику руководства КГБ, исходя из того, что внутри страны и за ее рубежами действуют непримиримо враждебные силы. Он был искренне убежден в том, что любые отрицательные изменения, которые могут происходить в самой партии и вокруг нее,— результат спланированных мероприятий этих враждебных сил. Удивительно, что, будучи человеком с абсолютно трезвым умом, он совершенно не допускал мысли, что партия может утратить лидирующее положение в обществе и вообще сойти с политической арены в силу закономерных объективных процессов. Убежденность в коварстве враждебных сил возникла под влиянием собственной коварности: КГБ планировал и реализовывал активные мероприятия за рубежом. Сам Крючков непосредственно курировал Управление «А» ПГУ (проведение активных мероприятий). Он проповедовал расширение открытых связей, но только для того, чтобы оказывать через них влияние на развитие событий в выгодном русле. Широко практиковал распространение поддельных писем, документов. Однако все это касалось зарубежной деятельности КГБ.

И все же необходимо отдать должное Крючкову. Именно он разглядел в деятельности группы Гдляна связь с преступным миром, рвущимся уже к политической и экономической власти. Не кто иной,как Крючков,в 1989 году дал КГБ «зеленую улицу» борьбы с организованной преступностью независимо от МВД. По его мнению, организованная преступность угрожала основам государственной власти и общественно-политическому строю.

Уже отмечалось, что Крючков был мастер и сторонник активных мероприятий. И он считал, что внутреннее положение в стране также требовало активных негласных действий (негласного вмешательства), чтобы направить события в нужное русло. Для этого в его распоряжении находился отлаженный механизм — аппарат разведки и контрразведки.

Между тем набирающая обороты деятельность Гдляна не предвещала ничего хорошего. В атаке на ЦК КПСС и Политбюро он как бы овладел инициативой, при помощи прессы внес сумятицу в умы масштабами предполагаемой коррупции в высших органах власти и приобрел немалый авторитет. Теперь он готовился баллотироваться от Армении в депутаты СССР.

У Крючкова сомнений не было, этот молодец правдой и неправдой рвется к власти. Вопрос — кто за ним стоит?

Крючков приблизился вплотную к правильной оценке зреющего заговора. Чтобы сделать последний шаг, ему не хватило малого — освободиться от партийных догм. Крючков бился и не мог определить, где же центр антигосударственной деятельности. Но центра как такового и не существовало. А вот заговор все же был. Реальный заговор сил, к которым Крючков в силу партийной схоластики не в состоянии был относиться как к реальному противнику,— это преступный мир, давно ждущий большой драки в государстве — между радикалами и консерваторами. А тот самый руководящий центр, который тщетно искал Крючков, заменяли громадные суммы преступного капитала, ждущие своего часа. Если бы Крючков взглянул на дело здравым взглядом просто государственника и экономиста, он бы ясно понял, что организованная преступность не временное и вовсе не случайное явление. Она взращивалась на протяжении всех семидесяти с лишком лет правления коммунистической номенклатуры. В подобное почти невозможно поверить, но это факт, к которому мы еще вернемся: НКВД когда-то способствовал образованию преступного мира, а затем, в угоду партийным интересам, устранился от контроля над ним, отдав его на откуп малограмотным и политически ущемленным органам МВД.

Разумеется, репутация партийного функционера андроповской закалки не способствовала привлекательности образа шефа службы безопасности. Однако, как бы кто ни относился к Крючкову, он был профессионалом высокого класса. Оценив именно это качество, Горбачев обратился в 1985 году к нему, тогда еще начальнику разведки, с просьбой внести ясность в деятельность группы Гдляна в Узбекистане. Председателю КГБ Чебрикову и министру МВД Федорчуку он довериться не мог. Первый явно старался не вникать в дела Гдляна, а второй фактически благословил его на рубку кадров в Узбекской ССР.

К тому времени сложилась постыдная, нелепая и попросту смешная ситуация. Как говорится, страшнее кошки зверя нет: все боялись Гдляна, который был простым следователем следственной части Прокуратуры СССР. Причина тому была одна — полная неосведомленность о том, насколько страна поражена преступностью и коррупцией.

«Белые воротнички» предпочитали не пачкаться об информацию о «всей этой грязи», не вникать в существо преступного сообщества. Как же тут Гдляну не выглядеть героем? По общему мнению, только он со своей группой сумел приподнять завесу секретности над тайными операциями преступных кланов. В действительности же Гдлян и на йоту не приблизился к «крестным отцам» мафии, скорее они направляли его шаги, говоря проще, использовали в своих интересах.

И широких полномочий Гдляну никто официально не давал. Было распоряжение Чебрикова, поступившее в КГБ Узбекистана, оказать содействие: предоставить кабинет в здании КГБ, автомашину, содержать в следственном изоляторе арестованных. Гдлян сумел максимально использовать предоставленные ему возможности. Капитан встречался и беседовал с Гдляном. Тот был очень заинтересован найти в нем союзника. А капитан чем больше приглядывался к этой фигуре, тем меньше понимал, как находятся до сих пор простаки, которые все еще верят подобному «мастеру разговорного жанра».

Сегодня можно сказать определенно одно: лишь высокий профессионализм и человеческая порядочность Крючкова дали возможность предотвратить многие трагедии и не позволили «крестным отцам» мафии овладеть государственными рычагами власти. Фактически Крючков спас и Горбачева от перспективы облачиться в робу зека.

Операцию, которую начал Крючков в 1985 году, по праву можно внести в золотой фонд всех спецслужб мира. Она продлилась почти шесть лет. Результат: сотни незаконно осужденных сотрудников милиции, прокуратуры, суда, хозяйственных и партийных работников были освобождены и реабилитированы. Тысячи уголовных дел были пересмотрены, приговоры изменены. Количество осужденных с чудовищных четырех миллионов было сокращено до 800 тысяч человек. Общество начало узнавать о глубоко законспирированной подпольной армии преступного мира. И это, а также многое другое, происходило без малейшей попытки устроить рекламу КГБ. Можно было бы привести немало фактов, когда известные журналисты, сделавшие карьеру на безудержном разоблачении «происков КГБ», сами того не подозревая, использовались службой безопасности для достижения демократических целей. КГБ прибегал к подобным методам тогда, когда не желал ставить под удар свои тайные источники информации.

Лишь ошибка (та ошибка, которая, по известному выражению, хуже, чем преступление) Крючкова в августе 1991 года погубила стройный ход всей операции и в конечном счете разрушила КГБ. Вместе с Крючковым ушли и те сотрудники, которые прежде были внедрены в преступные кланы. Они, эти сотрудники, превратились в «летучих голландцев», время от времени напоминая о себе выстрелами в лидеров преступного мира.

* * *

Вадим Бакатин занял должность председателя КГБ в трагический для СССР период после августа 1991 года, фактически выманив и выпросив ее у Горбачева. Почему же ему так не терпелось возглавить оплеванную и постоянно унижаемую службу безопасности? Многие полагают, что его назначение имело целевой характер — разрушение КГБ. И впрямь он вполне зарекомендовал себя в этом качестве — разрушителя, выдав многие государственные секреты. Но это, так сказать, внешняя сторона дела: чиновник высокого ранга выполняет известную работу за определенную заработную плату. Однако не ради же заработной платы Бакатин так рвался занять должность председателя КГБ. Были у него веские причины и сугубо личного характера.

Бакатину было чего бояться. До него дошла информация, что по указанию Крючкова действовала секретная группа, которой многое стало известно о контактах его подчиненных в МВД с ворами в законе; на основании полученных сведений сотрудниками службы безопасности был сделан единственно возможный и, как оказалось, правильный вывод: к 1990 году Министерство внутренних дел фактически заняло по отношению к преступному миру позицию нейтралитета. В окружении Бакатина были зафиксированы крупные криминальные авторитеты.

Не удивительно, что, став председателем КГБ СССР, Бакатин проявлял необыкновенную страсть к чтению затребованных им секретных материалов и в сводках жадно искал свою фамилию. С особенным волнением он просматривал сводки негласного слухового контроля по событиям, которые его интересовали. Это был такой динамит, который мог разнести его политическую репутацию в клочья. Решение созрело моментально — во что бы то ни стало спрятать все концы в воду. Но как? Если тайно, то даже при торжестве победившей демократии могут заподозрить в измене родине. Значит, надо пустить по официальным каналам. Главное, побольше оглушительного шума: полицейское государство, тоталитаризм, империя, тюрьма народов, гражданские права... Под эту политическую трескотню сдать американцам схему электронного оборудования посольства США. Глядишь, зачтется. А следочки все свои тщательно стереть. И — в дамки.

За то время, пока Бакатин стоял во главе КГБ, все действующие подразделения фактически лишились управления Центра. Около года, как таковой системы безопасности в стране вообще практически не существовало. Это нанесло ущерб, который невозможно исчислить. Страна подверглась разграблению, как во времена вражеского нашествия. Паралич оперативной деятельности службы госбезопасности можно сравнить с ситуацией, которая возникает, когда доменную печь на полном ходу вдруг оставляет обслуживающий персонал. Начинает рвать летку, горят фурмы, лава чугуна под давлением в три атмосферы вырывается из летки, и печь замораживается... Раздуть же ее невероятно сложно. И прав был президент Б. Ельцин, который по многим соображениям отстранил Бакатина от власти и закрыл ему доступ к государственным секретам.

ЗАГАДОЧНОЕ УПРАВЛЕНИЕ

Эту историю Малышеву рассказал старый «следак», который дотягивал в КГБ СССР последние деньки до пенсии. То ли характерами сошлись, то ли еще почему приглянулись друг другу, а только встреча их после окончания рабочего дня продолжилась на конспиративной квартире госбезопасности. Естественно, «рюмка чая», за ней другая. Слово за слово, разговорились, и как-то беседа вывернула на эту историю.

— Слушай,— спрашивал Малышев,— он что, подполковник этот, совсем бухой был?

— Да ни синь пороха! Сказано тебе: он на кадрах сидел. Всего нашего центрального аппарата.

— А что, в кадрах не киряют?

— Этот кадровик как будто на дух не принимал. На его собственном юбилее (который, между прочим, в «Метрополе» отмечали; но это я так, к слову, потому что значения в данном случае не имеет)... короче, как его ни уламывали, он принял лишь с наперсток, не больше. С такой дозы и воробей не окосеет. Так ему, точно в отместку, сунули в портфель несколько бутылок оставшегося коньяка. На, мол, старый черт, не хотел пить, так тащи теперь через всю Москву. А ему надо было аж до конечной станции метро, до Ждановской.

— Выхино, что ли, теперь?

— Да дьявол их разорви, эти новые названия! Вечно я в них путаюсь. Какая тебе разница? Ждановская и Ждановская.

— Излагай дальше.

— Сначала дернем.

— Это обязательно!

Выпили и закусили.

— И веришь ли,— продолжал «следак»,— эти-то проклятые бутылки, как ни крути, а выходит, что именно они его погубили. Прямо как в насмешку.

— Судьба вообще большая насмешница. Не замечал?

— Дернем!

Конечно, дернули. И еще не раз.

А дальше картина, реконструированная следствием тех лет, когда пожилой и вполне безобидный подполковник в штатском, вдовец, возвращался в свою однокомнатную квартирку на окраине занесенной снегом Москвы.

Последняя электричка, пустой вагон, через несколько минут конечная станция метро. В ту пору — Ждановская. Вагон подергивает на стыках рельсов. В эти минуты одинокий пассажир, который клюет носом, покачивается. Покачивается и портфель, стоящий на диванчике возле него. Тогда можно услышать, как позвякивают в портфеле полные бутылки.

Мужчина одет добротно, но не броско. Ему около пятидесяти или немногим больше. Иногда он открывал слипающиеся глаза, и тогда ему вспоминалось, как славно они посидели в ресторане, отмечая его день рождения. Перед тем как разойтись по домам, коллеги сунули ему в портфель несколько неоткупоренных бутылок отборного коньяка, оставшихся после застолья. Конечно, не самый лучший тон. Он и не хотел брать эти бутылки, но ему навязали. Ладно. Что сделано, то сделано.

И все-таки он задремал. Открыл глаза за секунду до того, как двери должны были захлопнуться, а поезд отправиться в депо. Каким-то чудом он успел выскочить. Вышел из метро на улицу. Ноябрьский морозец его освежил. И тут он почувствовал, что чего-то не хватает. Не сразу сообразил, что впопыхах оставил в вагоне портфель. Ах, как досадно! И не из-за коньяка, конечно. В портфеле были также дорогие сердцу подарки, которые поднесли ему на юбилей коллеги.

Несколько минут он стоял, соображая, что предпринять. Наконец решил вернуться. Метро уже было закрыто. Пришлось долго стучать, пока не показалась крайне недовольная дежурная. Она что-то кричала из-за прозрачной двери. Поколебавшись, он достал удостоверение. Дежурная, глянув, сразу прикусила язык и открыла дверь.

— Где у вас тут пункт милиции?

— Там.— Она показала в конец зала. И нерешительно добавила: — Только они все пьяные.

— Разберемся,— буркнул он.

Первое, что бросилось ему в глаза, когда он вошел в дежурку, был его раскрытый портфель на столе, и к бутылкам, судя по всему, уже изрядно приложились. В комнате находилось три или четыре милиционера, он не успел сосчитать.

— Ну, как коньячок? — спросил он.

Милиционеры были просто поражены такой неслыханной наглостью.

— Что этот вонючий козел пробормотал? — протянул один.

— Это был мой коньяк,— сказал он.— Ладно, давайте портфель, и я пошел.

— Пошел? Куда ты пошел? — Боковым зрением он заметил, как сбоку надвинулась туша. И вдруг в голове вспыхнул ослепительно яркий свет...

Они убивали его так: разбегались и что было силы пинали лежащего. Потом утомились.

— Кажется, дед концы отдал,— сказал кто-то, отдуваясь.

— Оклемается,— возразил другой.

Черту подвел старший наряда:

— Дежурство кончилось, по домам. Этого прихватим с собой. По дороге пристроим в укромном месте. Оклемается — хорошо, нет — туда ему и дорога.

* * *

В Москве ежедневно бесследно исчезают люди — мужчины, женщины, дети. За месяц число пропавших без вести достигает нескольких тысяч человек. И было бы большим лицемерием утверждать, что эта горькая статистика не дает спать руководителям соответствующих подразделений и ведомств.

Но тут был особый случай. Через два дня после описываемых событий на стол Ю. В. Андропова легла информация, что пропал подполковник А., сотрудник отдела кадров центрального аппарата КГБ СССР. На его поиски немедленно были брошены лучшие силы следственного отдела КГБ. И уже через две недели Андропов читал показания милиционеров-убийц.

В том же 1982 году Андропов, бывший уже Генеральным секретарем ЦК КПСС, пережил личную трагедию. Мало кто знал, что у Андропова был сын, старший сын от первого брака. Судьба его мало чем отличалась от судьбы сверстников послевоенной Москвы. Уличные компании научили его воровать, пьянствовать. Андропов тщательно скрывал семейное горе, делал все, чтобы вернуть сына, которого звали Андрей, к нормальной жизни. Отец даже пытался женить его на скромной девушке из обычной рабочей семьи, но из этого ничего не получилось. Андрей по-прежнему воровал и пил, пока в стычке с милиционерами его зверски не избили до смерти. Произошло это в Тирасполе.

У Андропова были веские причины пристальнее присмотреться к деятельности органов милиции, которые он давно и не без основания подозревал в коррупции. Смерть сына, а по сути, его жестокое убийство милицейскими чинами стало той последней каплей, которая переполнила чашу терпения.

В 1983 году по прямому указанию Ю. В. Андропова в системе государственной безопасности СССР была учреждена одна из самых загадочных оперативных служб — Управление «В» Третьего главного управления КГБ СССР. Согласно Положению об Управлении, в территориальных управлениях и горрайорганах госбезопасности организовывались так называемые третьи линии оперативной деятельности. Главная цель, которая ставилась перед ними,— контрразведывательное обеспечение Министерства внутренних дел. Основные задачи — деятельность среди сотрудников МВД по выявлению агентов иностранных спецслужб (!), изменнических и иных враждебных проявлений; осуществление профилактических мероприятий, направленных на предупреждение со стороны сотрудников МВД государственных преступлений, нарушений секретности и утечки сведений, составляющих государственную тайну; оказание чекистскими средствами помощи (имеется в виду весь набор агентурно-оперативных средств, применяемых в деятельности КГБ) руководителям и политорганам МВД в предотвращении в подразделениях негативных процессов, которые могут привести к нежелательным политическим последствиям и порождать отрицательные настроения граждан.

Таков суконный язык документа, и тут уж ничего не поделаешь. Говоря же упрощенно, Управление «В» имело задачу — выявлять среди сотрудников правоохранительных органов шпионов (явная глупость!) и коррупционеров, что вовсе не лишено было смысла.

В дальнейшем функции этого подразделения

были расширены, и к моменту упразднения Управления в 1991 году его работникам вменялось в обязанности: непосредственное участие, во взаимодействии с 6-ми подразделениями МВД-УВД, в борьбе с организованной преступностью; накопление, анализ, оценка и использование информации всех подразделений КГБ-УКГБ о фактах преступной деятельности, недостатках в охране государственной собственности, нарушений прав и законных интересов граждан; оказание необходимой помощи оперативно-техническими средствами органам прокуратуры, МВД-УВД в борьбе с организованной преступностью; информирование прокуратуры по вскрытым фактам преступных действий сотрудников МВД-УВД; осуществление негласного (!) и официального контроля за ходом и реализацией передаваемой в органы внутренних дел оперативной информации.

Может быть, Ю. В. Андропов, как никто другой, имел представление о размахе коррупции. Где ни копни организованную преступность, там обязательно обнаружишь людей в милицейских погонах, влиятельных чиновников из государственных учреждений. Например, еще в 1970 году в Москве была разоблачена крупная преступная группировка, возглавляемая авторитетами по кличкам «Монгол» и «Людоед». Группа занималась вымогательством значительных денежных средств у подпольных дельцов с применением крайнего насилия. Среди активных членов банды — сотрудники милиции. В 1974 году МВД Молдавской ССР была раскрыта группа расхитителей, возглавляемая директором универмага Манделем. По делу проходило более ста работников республиканского партийного и государственного аппарата.

Таких фактов было множество, и число их стремительно росло. Количество зарегистрированных преступлений с 1970 по 1983 год увеличилось вдвое, причем за счет хищений, совершенных преступными группами. Если до 1976 года за пять лет выявлено 986 хищений в крупных и особо крупных размерах, то в последующее пятилетие — 6920, а с 1983 по 1987 год — уже 13 314. Статистика бесстрастно свидетельствует о катастрофическом распространении в СССР коррупции. С 1980 по 1986 год в стране было привлечено к уголовной ответственности за должностные корыстные государственные преступления лиц в десять раз больше, чем за двадцать предшествующих лет.

Еще до создания Управления «В» Андропов, пользуясь властью первого лица в государстве, дал указание по сбору компрометирующих материалов на руководителей МВД СССР. Результат всем хорошо известен: министр Щелоков застрелился, его первый заместитель Чурбанов осужден к 12 годам лишения свободы, начальник хозяйственного управления министерства Калинин — к 15 годам.

Искренне полагая, что для оживления советской экономики достаточно укрепить трудовую дисциплину, Андропов вместе с тем понимал, что последнее невозможно без искоренения коррупции. А чтобы решить эту задачу, прежде всего необходимо очистить правоохранительные органы от разложившихся сотрудников. Ведь контрольный механизм государства составляли прежде всего органы МВД, без них не могли выполнять свои функции ни прокуратура, ни суд, ни другие контролирующие инстанции.

Если проанализировать данные на осужденных должностных лиц по ст. 170 УК РСФСР (злоупотребления) и соответствующим статьям УК других республик начиная с 1981 по 1988 год, то складывается следующая порядковая очередность привлеченных к ответственности должностных лиц по профессиональной принадлежности:

1. Сотрудники МВД, не включая работников системы исправительных дел, военнослужащих внутренних войск.
2. Хозяйственники, работники торговли, руководители партийных и государственных инстанций.
3. Сотрудники прокуратуры.
4. Работники суда.
5. Сотрудники КГБ.

И это вполне объяснимо. В количественном составе милиция превосходит все другие инстанции. Милиционеры наиболее часто соприкасаются с преступниками, и от их решений во многом зависит безопасность преступного промысла. Располагая фактически неограниченной административной властью при обеспечении общественного порядка и при охране государственной собственности, милиционеры постоянно должны бороться с соблазном пойти на компромисс с совестью, совершить преступление взамен на вознаграждение, иначе говоря, взятку. Справедливости ради необходимо привести еще одно объяснение большого числа осужденных милиционеров — пренебрежение государства к обеспечению их юридической безопасности при выполнении служебного долга. Организованная преступность умеет искусно нейтрализовать тех, от кого исходит опасность, посредством компрометации, клеветы... Существует целый арсенал средств.

Это свойство организованной преступности не было учтено, когда разворачивалась борьба с коррупцией. В результате были сломаны судьбы тысяч ни в чем не повинных людей. Советская традиция — добиваться цели любой ценой, и прежде всего — ценой человеческих жизней.

Колонии, как и в сталинские времена, начали быстро пополняться, и к 1986 году общее число осужденных в местах лишения свободы достигло четырех миллионов. Необходимо отметить, что исправительно-трудовая система — прямая наследница ГУЛАГа — не способна обеспечить такую массу осужденных работой, а так называемое перевоспитание в местах лишения свободы — не более чем фикция. Все строится на жестком режиме, отсутствии сколько-нибудь полноценного отдыха, бесконечном унижении. Сюда следует добавить крайне низкую дисциплину среди личного состава исправительно-трудовых учреждений, злоупотребление служебным положением, нарушение исправительно-трудового законодательства, которые создают повышенный криминогенный фон в местах лишения свободы.

* * *

Малышев не раз спрашивал себя: было ли ошибкой создание Управления «В» по контролю над МВД с учетом общего незнания условий развития преступности, ее структуры, организационных начал? Видимо, результаты работы КГБ по третьей линии только усугубили положение дел. На первых порах не учитывались позитивные стороны в деятельности милиции, особенно это касается опыта оперативных сотрудников.

В итоге возникла напряженность в отношениях между прокуратурой, МВД и КГБ. От работников прокуратуры и МВД по адресу сотрудников госбезопасности в середине 80-х годов можно было часто услышать в конфликтных ситуациях фразу: «Мы вам припомним андроповские времена...» Неприязнь быстро переросла едва ли не в откровенную вражду.

Малышев однажды «схлестнулся» со своим коллегой в милицейских погонах.

— Дошло до того, что вы используете свою «наружку» для контроля за нашими операми. А уж как стараетесь выявить наших агентов, просто из кожи вон лезете.

Как говорится, оппоненту Малышева и крыть было нечем.

Фактически в органах внутренних дел началась настоящая охота на агентов КГБ. В некоторых случаях применялись весьма изощренные и жестокие меры. Реальный случай: сотрудника МВД, негласно связанного с КГБ, заподозрили сослуживцы. Им был известен сотрудник госбезопасности, курировавший их, его установочные данные и рабочий телефон. Избив агента, они заставили его набрать номер телефона сотрудника госбезопасности, представиться и поздороваться с ним по имени-отчеству. Контролируя разговор через параллельную трубку, они надеялись по реакции гэбэшника получить окончательные доказательства их связи. Но сотрудник госбезопасности, подняв трубку и выслушав приветствие агента, сделал вид, что не понимает, кто звонит ему. Попытка разоблачения сорвалась. Объяснение простое. Опер оказался тертым калачом. Заранее предполагая подобную ситуацию, он договорился с агентом, что если все в порядке, то негласный сотрудник не здоровается, а произносит условную фразу и сразу приступает к делу.

Следует признать, однако, что было и много «проколов», поскольку 3-я линия создавалась наспех, в аварийном порядке. Хотя имелось предписание направлять в 3-и отделы опытных и работоспособных сотрудников, редко какой начальник добровольно расставался с лучшими своими кадрами. Поэтому разведка, контрразведка, 5, 4 и 6-я линии стремились под шумок избавиться от «балласта». Становление 3-й линии шло очень и очень трудно.

Естественно, что установка органов внутренних дел на конфронтацию не могла не вызвать ответную реакцию КГБ. Среди оперативного состава контрразведки укоренилось мнение, что МВД доверять нельзя, велика угроза утечки информации и прямого предательства. Стали сворачиваться совместные оперативные мероприятия. Официальный обмен оперативной информацией практически прекратился. Органы КГБ вынуждены были активизировать вербовку надежных сотрудников МВД, в том числе и среди руководящего состава, для использования их в обеспечении оперативных разработок. Кто же шел на сотрудничество с КГБ? Кого-то «брали на инициативе», кто-то надеялся, что КГБ поможет в карьере. Но основная масса этих людей — профессионалов, многие из которых сами были агентуристами,— соглашалась сотрудничать с КГБ без какого-либо давления и вполне бескорыстно: понимали, что только таким образом можно оздоровить обстановку в МВД, приостановить окончательное разложение органов.

Более чем пять лет, с 1983 и почти до 1989 года, существовала эта атмосфера взаимного недоверия, подозрительности и открытой конфронтации. Здесь будет уместно отметить также, что над выявлением агентуры госбезопасности работали не только коррупционеры от МВД и связанные с преступным миром сотрудники милиции, но и вполне честные работники. Кому приятно сознавать, что среди твоих коллег есть информаторы, некоторые из которых неправильно понимали задачи КГБ в данной сфере.

Нужно отдавать себе отчет, однако, что в каждой цивилизованной полицейской службе действуют органы безопасности — это нормальная мировая практика. И главное орудие службы безопасности — информаторы.

В той же середине 80-х годов КГБ вошел в полосу глубокого кризиса: участились измены сотрудников внешней разведки, их бегство за рубеж. С 1979 года произошло более двух десятков подобных случаев. Не миновал КГБ и вирус коррупции. С 1981 года свыше десятка ответственных работников были уличены в получении взяток и отправлены в места лишения свободы.

Кризис сказался и в несоответствии выбранных направлений работы по обеспечению безопасности государства со складывающейся реальной международной и внутриполитической обстановкой. «Верные ленинцы», Андропов и Устинов, шли на поводу у выжившего из ума лидера КПСС и сами подливали масло в огонь, пугая партийную номенклатуру грядущими «звездными войнами». Вся стратегия КГБ исходила прежде всего из сформулированной Андроповым задачи — не допустить ядерного нападения НАТО, а также на разоблачение происков иностранных спецслужб против СССР.

Спору нет, эти проблемы необходимо было решать. Однако им, в ущерб всем другим направлениям, уделялось непомерно много внимания. Это не позволило органам госбезопасности в полной мере разобраться в захлестнувшей страну кампании борьбы с коррупцией. Органы КГБ не допускались дальше разоблачения отдельных взяточников и расхитителей. Материалы такого рода немедленно передавались в МВД или следственным группам из прокуратуры. Заметим попутно: передавались — в лучшем случае, а чаще всего — клались под сукно.

Поразительно, но группировки воров в законе неизменно рассматривались лишь сквозь призму возможной антисоветской деятельности. И эту линию проводили люди, которые называли себя профессионалами! Возможно, антисоветская агитация иногда имела место, но совершенно очевидно, что движущие силы криминальных структур были совершенно иные: нажива, распространение коррупции и противодействие акциям государства.

Подобного рода несообразности не могли не видеть рядовые оперативные сотрудники и некоторые руководители подразделений КГБ. Не афишируя свои настроения, они пытались по мере сил отклониться от продиктованной сверху доктрины государственной безопасности, обращая главное внимание на организованную преступность как наиболее реальную угрозу цивилизации. Такие умонастроения породили недоверие оперативных работников к своему руководству, способствовали появлению «двойной бухгалтерии», о которой уже упоминалось,— работы для официального отчета, когда приходилось валять дурака в угоду начальству, и для серьезного задела на будущее.

Эта двойственность не позволила эффективно пресекать преступность в сфере экономики. Удавалось лишь частично отслеживать факты развития теневого бизнеса и то, какие преступные группировки стоят за ними.

Располагая достаточными сведениями о зарождении преступности в виде мафии и видя в ней реальную угрозу безопасности государства, первый заместитель председателя КГБ СССР Филипп Денисович Бобков, возглавлявший некогда известное Пятое управление по борьбе с антисоветской агитацией и пропагандой, пошел тогда на немалый риск. Он санкционировал развертывание оперативной работы в уголовной среде. Главным препятствием на пути его начинания могла стать слепая подчиненность руководителей органов на местах устоявшемуся стилю работы, который ревностно отстаивал старый консерватор, председатель КГБ СССР В. Чебриков.

Ни одна спецслужба мира не владела так виртуозно агентурной тактикой и стратегией, как КГБ. И дело тут не в количестве агентов. Американские специальные и полицейские службы традиционно располагают весьма обширной осведомительской сетью и в своей стране, и за ее рубежами (благо богатые — есть чем платить). Тактика, однако, разная. Отечественные спецслужбы исторически располагают громадным опытом агентурного проникновения. Скажем, если отсутствовали агентурные подходы к объекту, то такие проблемы решались очень просто. Или агент вербовался в окружении объекта, или к нему подводился классный агент. Подобного рода «техника» отработана до мельчайших нюансов и достигает высочайшего мастерства.

Информационный массив, полученный по крупицам от агентуры, определял во многом не только направления деятельности КГБ, но и внутриполитические акции государства. К сожалению, органы безопасности зачастую шли на поводу у неправильно избранной стратегии, сформированной на основе ошибочной оценки информации, полученной от разных источников. Подобной болезнью страдают все спецслужбы. Это традиционный профессиональный недуг. Видимо, он и стал причиной искаженного представления Андропова, что, расправившись с коррупцией, мы без особого труда решим экономические проблемы. Или взять пресловутую программу слежения за возможным ракетно-ядерным нападением («РЯН») на СССР. Сколько государственных средств и сил отвлек этот «манок». И в то же время откладывалось в долгий ящик решение чрезвычайно важных внутренних задач — таких, как создание целостной программы борьбы с организованной преступностью.

Полагали, что с профессиональным преступным миром было покончено еще в 50-х годах. А между тем «почтенное сообщество» вовсе не спешило на собственные похороны, полагая, очевидно, что синица прекрасной советской действительности надежнее, чем журавль царствия небесного. Похороненный в бесчисленных отчетах преступный мир пустил корни в уголовной среде. Исподволь началось его возрождение как мощной криминальной организации, несравнимо более изощренной, чем «Коза ностра» в США. В 80-е годы этот монстр начал уже прокладывать себе пути на Запад и получил там название «русская мафия».

ШКОЛА ГУЛАГА

Управление «В» Третьего главного управления КГБ СССР фактически стало преемником ОГПУ-НКВД в борьбе с преступным миром и коррупцией.

Приказ ОГПУ № 108/65 от 8 марта 1931 года предписывал органам ОГПУ проводить мероприятия по чистке личного состава милиции и УГРО (уголовный розыск), вести борьбу с засоренностью аппарата милиции и УГРО, предупреждать проникновение в агентурный аппарат милиции и УГРО преступного элемента и вести наблюдение за проведением этих директив в жизнь.

И вот что интересно. В этом же приказе рекомендовалось привлекать классово близких пролетариату и крестьянству людей для выявления чуждых элементов, проникающих в органы милиции и УГРО. Практики совершенно однозначно трактовали данное положение как возможность использовать уголовников (!) в борьбе с врагами народа.

Однако существовала одна немаловажная тонкость. Милиции и УГРО строго запрещалось заключать с уголовниками какие-либо соглашения и выходить за рамки, четко очерченные существующим законодательством. В результате органы милиции не могли и не пытались изучать среду преступного мира и имели о ней самое поверхностное представление как просто о кучке воров и рецидивистов, занятых преступным промыслом. Поимка за этот промысел и была целью органов милиции и уголовного розыска. Попытки же установить контакт с представителями преступного мира для глубокого оперативного проникновения в его среду были чреваты обвинениями в измене родине.

Подобного рода операции относились к прерогативе ОГПУ-НКВД. В частности, ими занимался так называемый отдел Уголовного Розыска Главной Инспекции ОГПУ, который разрабатывал методы борьбы с уголовной преступностью и внедрял их в практику.

С 1929 года в СССР начался новый виток массовых репрессий. Коллективизация и индустриализация, свертывание нэпа и разгром «троцкистско-зиновьевского блока» вызывали вспышки сопротивления. Они беспощадно подавлялись, и вскоре количество заключенных в местах лишения свободы достигло колоссальной концентрации. В том же 1929 году было создано Главное Управление Лагерей (ГУЛАГ). Руководство вновь созданного ведомства активно разрабатывало меры оперативного контроля за уголовной средой в концентрационных лагерях. Контрольные же функции взяла на себя Главная Инспекция ОГПУ.

Разумеется, ОГПУ осознавало опасность того, что огромные массы людей, содержащиеся в ужасных условиях советских концлагерей, восстанут. Чтобы устранить эту опасность, в лагерях началась активная вербовка в качестве агентов ОГПУ уголовных авторитетов из числа так называемых «уркаганов», профессиональных уголовников. Были выработаны соответствующие инструкции для оперативной работы с этой категорией заключенных. В частности, рекомендовалось создавать контролируемые ОГПУ группировки во главе с завербованным уголовным авторитетом, который с помощью своих «соратников» мог бы обеспечивать необходимую дисциплину среди «троцкистов» (так называли осужденных по статье 58). Эти группировки не должны были «лезть в политику», завербованным авторитетам запрещалось самим участвовать в насилии над осужденными; запрещалось иметь собственность сверх того, что положено было рядовому осужденному. Однако были и существенные послабления в режиме содержания: завербованные уголовники не работали и имели возможность свободного передвижения по лагерю для встреч с нужными людьми и сбора информации; администрация же лагерей обязана была всячески поддерживать авторитет этих агентов. К подобной уголовной аристократии привилась кличка «блатные», на жаргоне — «блатари».

Однако довольно скоро они сами стали называть себя «ворами в законе». Спроси сегодня у подобного деятеля о значении этого выражения, и последует гордый ответ, что «в законе» — значит, авторитет признан по «закону» преступного мира и сам он соблюдает воровские «законы». Пусть так. Но не следует забывать, кто позволил этим «баронам» выделиться из остальной массы заключенных и с какой целью использовал их авторитет.

Для начальника лагеря слова «в законе» означали, что авторитет завербован ОГПУ в качестве агента. Поэтому-то начальники лагерей позволяли ворам в законе так свободно вести себя в зоне, не стеснялись контактов с ними, поскольку не опасались преследований со стороны контролирующих инстанций ОГПУ-НКВД. Кроме того, каждый лагерный начальник был одновременно и старшим оперативным начальником, предоставляя регулярные отчеты об агентурной работе среди заключенных. Воры в законе находились у них на оперативном контакте. Такова, как говорится, правда жизни.

В те предвоенные времена служба безопасности, породив воров в законе, чрезвычайно плотно опекала их. За каждым шагом уголовных авторитетов в зоне, казалось бы даже идущим от души, самым бескорыстным, в действительности стояло неукоснительное выполнение строжайшей инструкции. Можно было бы привести массу тому доказательств, но вот только два примера. «Отца советской космонавтики» С. П. Королева в заключении, на прииске, тайно опекал вор в законе по кличке «Батя». (Кстати, небезынтересно, что один из сподвижников «Бати», вор в законе Виктор Борисович Сидоренко, по кличке «Кукла», до сих пор отбывает наказание в одном из лагерей Среднего Урала). Именно «Батя» поддерживал Королева и в буквальном смысле спас от смерти — не дал замерзнуть в жуткие морозы, сняв с собственного плеча и подарив овчинный полушубок. Причина такого благородства? Ему было сказано оперработником госбезопасности, что он головой отвечает за жизнь «Профессора» (кличка С. П. Королева в заключении).

И другой маленький пример. За два года до войны воровской «съезд» принял установку не грабить военных. И впрямь, грабежи военных прекратились совершенно. В любой час ночи, в любом месте и на любой улице, трезвые или совершенно пьяные, военные были в такой же безопасности, как в штабе дивизии. Почему бы вдруг грабители и мокрушники воспылали столь необычной любовью к защитникам родины? Таков был приказ воров в законе, за которыми стояли их настоящие хозяева — оперативные службы НКВД.

Держать власть над уголовниками помогал преступным авторитетам и выработанный еще в середине 30-х годов воровской закон. Правда, писанного свода законов никогда не существовало. Это скорее выработанные криминальной практикой принципы поведения, которых обязан придерживаться вор в законе и руководствоваться ими в блатной жизни. В те времена на первом месте стояла личная безопасность от политических репрессий. Обнаруживается удивительное сходство рекомендаций ОГПУ в работе с уголовными авторитетами с принципами воровской жизни. По крайней мере, канва этих рекомендаций соответствует воровской этике в условиях тоталитарного режима.

Главное, самое главное — не вмешиваться в политику. В те времена этот принцип позволял надеяться, что воровские авторитеты, собирая свои кутки, группируя вокруг себя уголовников, не привлекут внимания репрессивных органов ОГПУ-НКВД, охотившихся за антисоветскими организациями и организациями инакомыслящих. По мере укрепления сталинской модели государства этот принцип усиленно пропагандировался в уголовной среде.

Однако ни один вор в законе в условиях лагеря не мог в силу объективных причин оставаться вне политики, хотя бы потому уже, что приходилось выполнять инструкции чекистов. Между тем укреплялась и обратная связь. Начальники лагерей, полагаясь на авторитет воров в организации работ и укреплении дисциплины, тем самым незаметно попадали в зависимость от воров. А вор в законе, управляя криминальной средой, способен не только поднять дисциплину, но и достать преступным способом дефицитные материалы, в которых нуждается колония, в конце концов, оказать начальнику личную услугу для улучшения его материального положения. Коррупция и взяточничество процветали в зонах даже и в сталинские времена.

И все же тогда, пытаясь избавиться от полной политической зависимости, воры в законе стремились оградить себя от остальной массы людей. Старались сделать внутреннюю жизнь своих сообществ полностью закрытой. При этом презирались все законы, по которым живет общество, признавалось только внутреннее братство и поддержка друг друга.

...С тех пор за прошедшие десятилетия многое изменилось.

«АПЕЛЬСИНЫ». СМЕНА ТАКТИКИ

Приверженцы старых воровских традиций постепенно сдавали свои позиции. Одновременно все большую роль начинала играть новая генерация лидеров преступного мира, преимущественно кавказского происхождения, так называемые «апельсины». Эти «реформаторы», отнюдь не отказываясь от чисто уголовных повадок — насилие, вплоть до крайнего, рэкет, подкуп и прочее,— взяли на вооружение политические методы борьбы с правоохранительными органами и государством в целом.

Начало использования такой тактики, вероятно, можно отнести к периоду распространения в 1988 году «Обращения ко всем осужденным СССР» от имени «Брата Тенгиза» (Чичинадзе

Тенгиз Гурамович, 1962 года рождения, был избит старым авторитетом Амираном за неправильное поведение: по изначальным законам преступного мира письменные обращения «к городу и миру» не приняты, так как раскрывают тактику и роль криминальной среды, что нарушает чистоту традиций). В этом воззвании красной нитью проходила мысль: «пока красные дерутся между собой», необходимо брать власть в стране, а в первую очередь — заставить правоохранительные органы выполнять требования преступного мира.

Сентябрь 1989 года. После вояжей по зонам Лазо и Мамуки отношения между заключенными резко обострились. Конечно, это крайне деликатное выражение — «обострились». А если попросту: «...до смерти режут, колют, насилуют» (из оперативного донесения)... Вот в каком стиле докладывали оперативники областному начальству: «Отрицательная часть зеков («отрицаловка»), не вставшая на путь исправления, активизировалась в нейтрализации общественников из числа осужденных, которые явно стояли на стороне администрации. «Отрицаловка» стала не просто подстрекать, но под страхом насилия вынуждать работающих на производстве «мужиков» пить и злоупотреблять спиртным (боже мой! По-русски это называется «массовые пьянки»), бастовать... Одновременно активизировались уголовные группировки в городе — в поддержку лидеров, находящихся в зоне: резко возросли поставки спиртного, наркотиков, продуктов питания». Может быть, впервые милиционеры столкнулись с жестким сопротивлением уголовников.

ИЗ АГЕНТУРНОГО СООБЩЕНИЯ «ВОЛЬФ»:

10 октября 1989 года в кафе «Золотое кольцо» состоялся сход авторитетов города. Сход собрал прибывший с инспекцией вор в законе. На совещании обговорили самое главное, что надо сделать в первую очередь: «разморозить» зоны, поставить на колени ментов и заставить их выполнять требования преступного мира. Денег на подкуп милиции из общака не жалеть, неподкупных «долбить» физически.

Задание: Организуйте встречу с участниками схода. В ходе ее запишите беседу о результатах схода на микромагнитофон, который будет вмонтирован у вас в одежде.

Мероприятия: Организовать оперативный контроль встречи «Вольфа» с участниками схода, установить их место жительства, выяснить установочные данные.

Записка по ВЧ:

На Ваш №____от____ сообщаем. Предложение о создании групп спецназа из числа сотрудников МВД рассмотрено. В связи с общей активизацией лидеров преступных группировок против правоохранительных органов рекомендуем через руководство УВД согласовать вопрос о создании штатных подразделений специального назначения в системе Управления исправительных дел. Для подготовки и организации работы предполагается направить инструктора из учебного центра ПГУ КГБ СССР. Ваши предложения будут доложены министру МВД РСФСР.

5 октября заместитель начальника УВД Свердловского облисполкома Волосюк прибыл для срочной беседы с начальником городского отдела УКГБ СССР по Свердловской области. На встрече доложил информацию о подготовке 7 ноября бунта в семи зонах одновременно с подключением в качестве поддержки уголовных группировок города. Эти сведения подтверждались сообщениями из разных источников.

ИНФОРМАЦИЯ, ПОЛУЧЕННАЯ ОТ АГЕНТА «ВОЛЬФ» ПО СРОЧНОМУ КАНАЛУ СВЯЗИ:

Уголовному авторитету Шильнику доставлена с воли «ксива» о подготовке общего «банкета». Цель выступления — продемонстрировать «ментам» силу, заставить правоохранительные органы пойти на переговоры с ворами в законе. «Банкет» намечен на 7 ноября.

ВЫПИСКА ИЗ ПИСЬМЕННОГО ЗАДАНИЯ АГЕНТУ «ВОЛЬФ»:

В период 6 и 7 ноября Вам необходимо, используя связи среди приближенных к Вам лиц из уголовной среды, нейтрализовать Шильника, перекрыть к нему доступ «смотрящих» из отрядов, а также — связь его с другими зонами. В случае сопротивления Шильника не препятствуйте его нейтрализации.

* * *

Дела в зоне пошли на поправку после того, как пять офицеров спецназа, при поддержке заключенных-общественников, обработали «отрицаловку». Спецназовцы прошли по территории и помещениям колонии с единственной задачей — провести рекогносцировку местности на тот случай, если бунт все-таки вспыхнет.

Приход спецназа дал свои результаты, 6 ноября был перехвачен телефонный разговор Шильника с абонентом в городе: «К зоне 7-8 не приезжать. Все перехвачено ментами».

«Отрицаловка» перестала чинить препятствия «мужикам», и те снова могли свободно выходить на территорию промышленной зоны. Заработали станки, нормализовался производственный цикл. И все было бы хорошо, если бы 10 ноября не случилось нечто из ряда вон выходящее. Происшедшее заставило многих оперативных работников задать себе вопрос: «Что это, предательство? Сговор с воровским миром?»

Как говорится, ни с того ни с сего в клубе ИТК собрали около тысячи зеков — всех, кто в это время не работал. Перед ними выступил заместитель начальника Управления исправительных дел. Его обращение было как нельзя более многообещающим. Он начал его словами: «Товарищи осужденные! Я обязуюсь выполнить все ваши требования, связанные с жалобами на неудовлетворительное содержание. Сотрудники ИТК, которые в отношении вас применяли физические меры воздействия, будут строго наказаны...»

Уже к вечеру того же дня к «хозяину» прибыли представители «отрицаловки». Они потребовали убрать локальные участки внутри зоны и разрешить свободное бесконтрольное перемещение по всей территории колонии. В противном случае зеки объявляют голодовку.

В ночь с 10 на 11 ноября неизвестные подожгли будку дневального в третьем локальном участке. Прежде чем поднести к облитой бензином будке спичку, поджигатели обмотали проволокой петли замка, чтобы дневальный не смог открыть дверь. Поджоги продолжались целую неделю. Пять осужденных-общественников получили тяжелые ожоги, пытаясь выбраться из пылающих помещений.

Чтобы навести порядок, высокий чин не придумал ничего лучшего, как обратиться за помощью к уголовным авторитетам. Вору в законе Свердловскому дали полномочия от лица администрации колонии вести переговоры с «отрицаловкой» — и при этом постараться «достичь взаимопонимания». Теперь в зоне порядок устанавливали уголовники. Все осужденные-общественники, которые прежде сотрудничали с администрацией, были этапированы в более благополучные зоны за пределы области. В противном случае им грозила смерть. Над Средним Уралом нависла тень воровской власти...

Скоро сотрудники ИТК стали отказываться принимать решительные меры в отношении злостных нарушителей режима, офицеры крайне неохотно входили на территорию зоны, многие пошли на прямой сговор с лидерами криминальной среды. В решении всех внутренних проблем колоний решающую роль стал играть «общак»; в эти воровские кассы резко увеличился приток финансовых средств. По экономическим показателям одной из колоний, 3 миллиона рублей (в масштабах 1989 г.) от теневого производства и хищений шло в «общак» ежегодно. И это далеко не единичный пример. Зоны повсеместно становились источниками преступных доходов. И это, конечно, сопровождалось утверждением так называемого «беспредела». Любое неповиновение зеков авторитетам каралось физической расправой. Увеличилось число убийств; уголовные дела, как правило, завершались осуждением за превышение необходимой обороны, хотя преступления совершались не только с ведома, но по прямому приказу «паханов». Фактически установилась свободная связь с лидерами криминальной среды за пределами колоний. Объединяясь, сплачиваясь, преступный мир отвоевывал все новые и новые позиции... Воры в законе в кутках и на сходах всерьез начали поговаривать о том, чтобы прибрать к рукам политическую власть в регионе.

* * *

Ночь. Работа в зоне закончена. Внедренная техника не подвела, запись воровского схода получилась отменной. Теперь было ясно, что делать дальше. И Малышев, который валился с ног от усталости, засобирался домой.

— Вблизи зоны, сам знаешь, сейчас неспокойно,— как мог, отговаривал Малышева сотрудник из оперчасти колонии.— По поселку рыщут шакалы Шильника и долбят любого, кто хоть мало-мальски похож на нашего брата. А на тебе вот такими буквами нарисовано, кто ты есть. Они тебя мигом на ножи поставят. Давай оставайся.

Ну! Почифирим маленько и на боковую. А утром — скатертью дорога.

— Как это? — возразил Малышев.— Утром мне опять в эту лямку впрягаться.— Помолчал, борясь с сонливостью. И сказал, сам того не ожидая: — Знаешь, меня жена спрашивает: чего ты все смеешься-то, когда о своих делах говоришь? А я про себя вдруг так и подумал: чтоб не заплакать, милая, чтоб не заплакать. Понимаешь?

— Да че ж тут не понять,— сник опер.— С нашей работой только и остается, что смеяться. Смеху полные штаны.

— Ну, я побрел. Если повезет, поймаю такси. А нет, как-нибудь так до города дотелепаю. Будь здоров, Иван Петров!

— Хе! — с усмешкой мотнул головой опер.— Ну, как говорится, безумству храбрых поем мы песню.

Поселок Рудник по ночам вымирает. Темень, хоть глаз коли. Да тут еще ветер в лицо. Словом, Малышев чуть не столкнулся с этой троицей. Настуженная сталь ножа обожгла горло. Малышев не разобрал, что ему сказали эти «шестерки». При виде опасности в нем проснулся зверь и лишил способности понимать человеческую речь. Почувствовал в краткий миг полное расслабление тела, натренированного в бесчисленных и нещадных поединках «рейнджеров» в учебном центре ПГУ КГБ СССР. За этим расслаблением, характер которого трудно передать словами, тут же следует взрыв энергии невероятной силы. Тело превращается в машину — автомат, крушащий все на своем пути. Такая способность достигается за годы весьма специфических и тяжелейших тренировок.

Малышев напряг шейные мышцы, подался на нож и в тот же миг, резко отпрянув, нанес мощный удар ногой. Подошва хромового сапога с жесткими краями рантов врезалась в голень державшего нож. Бандит с воплем согнулся. Этот крик страдающей плоти как бы вернул Малышева в реальный мир, вихрем пронеслась мысль: «Ну, началась рубка!» Это и впрямь была рубка. Так забивают скот.

Нанеся сокрушительный удар другой ногой по беспомощно падающей фигуре, Малышев пронес корпус по инерции и почувствовал, как левый кулак с разворота вошел во что-то мягкое; миг — и громоздящийся сзади бандит, не отступив ни шага и как-то нелепо дернувшись, рухнул наземь. В следующие доли секунды ладонь Малышева мертвой хваткой сомкнулась на вороте третьего. Вытянув руку на полную длину, Малышев затем ее резко согнул и швырнул корпус с полуоборота вперед,— на встречном движении нанес удар в челюсть тому, кто беспомощным кулем болтался в капкане стальных пальцев. Повторил прием. Рука под тяжестью безжизненно обвисшего тела стала опускаться, и тогда, как было отработано в тренировочных поединках, резко согнутая в колене опорная нога рванулась вверх, навстречу этому обреченному падению... Удар пришелся в голову. Что-то хрустнуло, и конвульсивно изгибающееся тело мешком рухнуло у ног Малышева. Все было кончено.

Медленно дойдя до будки телефона-автомата, Малышев набрал 02 и глухо произнес в трубку: «Клуб поселка Рудник, три трупа, вызовите «скорую», может, еще живы».

Взглянул последний раз туда, где в темноте

виднелись те, кто еще несколько минут назад с горделивым презрением попирал эту грешную землю, и побрел по проселочной дороге в город.

К утру дошел.

ПЕРВАЯ КРОВЬ. РАСКОЛ В ПРЕСТУПНОМ МИРЕ

Был жаркий июльский день 1990 года, когда Хазар в комнате свиданий в очередной раз принимал своих «родственников», Тимура и Азиза. При беседе присутствовал Седой. Главная тема разговора — открытие казино в ресторане «Космос» и возможная покупка за один миллион рублей (в тогдашних ценах, естественно) всего питейного заведения. Проблема заключалась в том, что на столь лакомый кусок были и другие претенденты. Самый опасный — Григорий Цыганов, глава уралмашевской группировки, которая не признавала воровские авторитеты. Зона влияния уралмашевской группировки распространялась и на железнодорожный вокзал, и на расположенный вблизи него «Космос».

Что и говорить, соперники серьезные. Однако Тимур, который имел под своими знаменами немало головорезов, брался обеспечить защиту открывающегося казино. Что же касается Азиза, то он был интеллектуальным руководителем проекта, войдя в пай с совладельцем казино Игорем Тарлановым. Этот прожженный делец вместе со своим сыном Павлом был постоянным гостем в ИТК-17. Они находили самый теплый прием у Хазара. Влиятельнейший вор в законе делал на Тарланова-старшего серьезную ставку: с его помощью можно было и без труда делать большие деньги, и легко отмывать их. В свою очередь, Тарланов тоже был заинтересован в поддержке Хазара, ведь от милиции не дождешься помощи при «наездах» рэкетиров и различных «бакланов».

«Родственники» договорились о совместных действиях, о том, какой линии придерживаться в деле с Игорем Тарлановым, и на автомашине отправились по домам, обещав по приезде обязательно сообщить по телефону, как доехали.

Ждали-пождали. Телефон молчал. Наконец не выдержал Седой и сам набрал номер Азиза. В трубке чей-то сдавленный голос: «Азиза в подъезде его дома зарезали».

Седой — к Хазару, в санчасть. Войдя в палату, сказал:

— Плохие новости, Хазар.

— Что, Азиза убили?!

Седой, конечно, немного удивился такой прозорливости, но виду не подал.

— Ты угодил в самую точку,— спокойно сказал он.

Позднее они узнали, как это произошло. Точнейший удар в сердце: бедняга и вскрикнуть не успел. Сработал, несомненно, классный киллер.

Хазар поклялся отомстить. Он не сомневался, что не кто иной, как Григорий Цыганов приказал убрать Азиза. Казино — вот что стояло за этим убийством. И в тот вечер судьба Цыганова фактически была решена, предстояло лишь найти исполнителей «акции». О своем решении Хазар ничего не сказал Седому. Уже тогда «старший товарищ» строил коварные замыслы по устранению «соратника», который слишком много знал.

Смерть Азиза помогла Седому сделать кое-какие выводы. Убийство этого родственника и одного из ближайших сподручных Хазара, о чем в уголовной среде всем было хорошо известно, подтверждало ту информацию, которую Седой получил в процессе «оперативного» контроля за помещениями в зоне, где проживали его противники. Хазар стремится к тому, чтобы завоевать прочные позиции на Урале, но он встретил активное сопротивление местных криминальных предпринимателей и «спортсменов».

Между тем Хазар на одном из сходов в зоне высказался о дальнейшей судьбе Седого. Зеки требовали над ним расправы за то, что он служит якобы «ментам», запретил употреблять спиртное, жестоко избивает «мужиков» за пьянки и невыходы на работу. На это Хазар ответил, что пока не время, и дал слово, позерски приложив руку к сердцу, что с Седым он рано или поздно покончит.

Сам Седой хладнокровно и, даже можно сказать, отчасти легкомысленно отнесся к угрозам Хазара. Как он рассуждал? Мол, что ему бояться? Каналы получения информации находятся в его руках, он пользуется непоколебимым авторитетом у своих единомышленников, за ним стоят «волонтеры» из Свердловска. И наконец, как ему казалось, к его мнению очень и очень прислушивается руководство оперативного отдела. Достаточно нескольких его слов, и Хазара этапируют из зоны за пределы области, а там уж он останется без всякой поддержки.

Седой надеялся, кроме того, что ему удастся подчинить себе те силы, которые оказывают сопротивление Хазару и мешают ему закрепиться на Урале. Было что ему обговорить со своими сторонниками! Седой вызвал к себе на встречу авторитетов Елунина и Трифона, которые безоговорочно признавали его авторитет.

Эта «судьбоносная» встреча состоялась 21 сентября 1991 года в комнате свиданий. Здесь Седой отдыхал со своей воровской женой, которая его по-настоящему любила и как могла оберегала. Она хорошо знала уголовную среду: до встречи с Седым «грела» по зонам других воров в законе и имела определенный авторитет в преступном мире. Она предупредила Седого о том, что Хазар вступил в сговор в начальником колонии. Обоим Седой стоял поперек горла. При чем тут Кузьмин? «Родский» усиленно и не без успеха убеждал «хозяина», что Седой действует по заданию госбезопасности. А какой начальник колонии будет терпеть у себя под боком «агента» КГБ?! (На самом деле КГБ классически «подставило» авторитета.)

На встрече авторитеты договорились о том, что необходимо остановить кавказскую экспансию. И так случилось, что в то же самое время Хазар принимал очередных «родственников» из Свердловска. Столкнувшись с одним из приближенных «родского» в коридоре, Трифон затащил его в комнату и учинил «допрос с пристрастием». Чтобы пленник был поразговорчивей, с него стянули брюки и, оголив зад, попытались ввести в задний проход шашлычный шампур. Остановила «экзекуцию» воровская жена Седого.

Узнав о происшедшем, Хазар ночью собрал своих приближенных на сход и вынес Седому смертный приговор. Одновременно он дал указание своим «шестеркам» поднять противников Седого; тем удалось нейтрализовать зеков, готовых поддержать русского авторитета; сказали, мол, если выйдете из общежитий в зону, с вами расправятся, как с Седым. Многие решили, что Седой уже мертв и верх взяла сторона Хазара.

Только один человек пробрался к Седому, который забаррикадировался в комнате свиданий. Известия он принес неутешительные. Через час, а то и раньше, должен начаться штурм комнаты свиданий. Сколько тут можно продержаться? Пять минут? Десять? Однако Хазар, будучи человеком предусмотрительным, на всякий случай уже разослал по области «ксивы», что Седой «гад». А это конец. «Гад» страшнее, чем «сука». Этим словом клеймят смертника за измену преступному миру. «Гад» — все равно что прокаженный, с ним нельзя ни делиться чем-либо, ни помогать, ни даже общаться. Каждый уголовник, оказавшийся в одной камере с «гадом», должен его убить, иначе он сам становится смертником.

На что оставалось надеяться Седому в его положении? Только на чудо...

* * *

Опергруппа располагалась для отдыха на конспиративной базовой квартире. И всем в эти минуты думалось об одном: душ, стопка-другая водки и — выспаться вволю. Оперативники были измотаны трехсуточным непрерывным слуховым контролем, но не скрывали своего удовлетворения. Агент, «этапированный» в зону строгого режима, а затем внедренный в группировку воров в законе, работал виртуозно. Как будто под запись протокола выуживал он у авторитетов все то, что накипело у них на душе за долгие годы отсидки в лагерях.

Удача редко сопутствует таким сложным мероприятиям, как оперативное документирование воровских сходов. На этот же раз улов был необыкновенен. Удалось полностью взять на магнитную запись коронацию Леньки Заболотского. Теперь он в «погонах» вора в законе по кличке «Болото».

Под наблюдением опергруппы Заболотский оказался год назад, когда в качестве «смотрящего» от воровского мира шнырял по северным районам Среднего Урала, богатым никелем и золотом. Старательно делал карьеру вора в законе, зарабатывая авторитет у местной уголовной братвы и у «мужиков» в здешних зонах. Все разборки, которые он проводил, кончались миром, полюбовно. Однако ж он не забывал напоминать «пехотинцам» о необходимости пополнять воровской «общак», держа, правда, свои руки подальше от общаковских деньжат.

В Серове Заболотский проводил разборку между «пехотинцами» из группировки Жени Ласточки. Тут-то оперативники сцапали «маэстро», отбили его у неопытных милиционеров и заперли в кабинете директора кафе, с которым предварительно обо всем договорились. Здесь Заболотский решил, что его загребли, по всей вероятности, «менты», упал и начал биться головой о пол, симулируя припадок эпилепсии. Пришлось Крутому Вове, как дружески звали коллеги старшего разведчика службы наружного наблюдения, надавать Заболотскому по щекам и выгнать его, точно бродячую собаку, на промерзлую ночную улицу. А теперь, поди ж ты, он — вор в законе. Жаль, что не представилось возможности поздравить.

Короновал Заболотского Хазар, который старался брать под свое крыло шустрых уральских мальчиков. А Ленька, кроме того что местный, знает еще многих, кто золотишком балуется. Коронацию обеспечил, по предварительной договоренности с оперативниками, Блим. Ему деваться было некуда, боялся, что по раскрутке добавят срок, а то и вышку дадут за два убийства. Божился, что хочет завязать с преступным миром, выйти на свободу и жениться. Это походило на правду. Его подруга обивала пороги в зоне, хлопоча о разрешении заключить законный брак.

Приготовленный им чифир, а для желающих — кофе и коньяк быстро согрели тесный воровской «куток». Славные Ленькины подвиги, результаты его тюремной выучки — все было записано на магнитную ленту. Хазар был немногословен. Ручаясь за Леньку, попутно сделал «объявки» (осудить кого-либо за нарушение воровских традиций, вынести смертный приговор) его недругам из уголовной среды. «Малявку» о прибавлении в полку воров в законе перехватить не удалось. Хазар же свои тридцать «кусков», идущих якобы на «общак», от Леньки получил. Чувствовалось, что Болото неспроста подкармливает Хазара. Как пить дать, хочет на чем-то «родского» объехать.

По большому счету, однако, коронация Леньки — экзотика, и не более того. Главная цель проводимого мероприятия — проверка Седого, он подписался еще раньше под воззванием подняться на бунт в зонах против «ментов» и «красных».

* * *

Оперативники едва успели скинуть амуницию... Вдруг — зуммер: сигнал экстренного вызова в режиме оповещения об опасности, переданный по радиомаяку. Счет пошел на минуты.

...Расчет спецназа из 25 офицеров влетел в зону по заранее подготовленным совместно с режимной службой ИТК лазам и оцепил главный корпус общежития. Так называемая «игла» из специально подготовленных спецназовцев смерчем пронеслась по трем корпусам, где заперлась отрицательная часть осужденных. И уже через 24 минуты 600 осужденных зоны строгого режима толпились в центре плаца. Здесь они были в безопасности и могли наблюдать, как остатки «отрицаловки», запинаясь и топча упавших, в ужасе покидали помещения и с разбегу врезались в толпу зеков, стараясь оказаться ближе к ее спасительному центру. Толпа постепенно стала расползаться вдоль плаца. От левого фланга отделились несколько зеков и подошли вплотную к оцеплению. Молодой парень обратился к офицеру: «Начальник, мы с вами, будем помогать, если надо. Надоела эта блатота. Давно пора их угомонить, житья не дают».

Центр толпы неожиданно, как по команде, начал расступаться. Мерно покачивая дородное тело, позерски выкидывая вперед резную из красного дерева трость, на виду у изумленных зеков вперед стал подаваться Хазар. Подплывая в окружении своих «шестерок» к старшему войскового наряда, гортанным голосом, с деланной старческой хрипотой произнес: «Гражданин начальник, напрасно побеспокоились, все будет в полном порядке. Если эти суки выступят,— указал он тростью на толпу,— ваши пятнистые их перебьют, а я пойду по баракам и буду оставшихся добивать палкой».

Пока расчет спецназа наводил в зоне порядок и все внимание войскового наряда и обслуги было обращено в сторону плаца, через служебный вход со стороны охраняемого КПП в помещение комнаты свиданий вошел офицер в форме внутренних войск. По-кошачьи бесшумно ступая, он приблизился к гостевой комнате № 2. Выстучал на двери морзянкой цифру семь и, не задерживаясь, так же тихо выскользнул в глухой тамбур.

Дверь моментально отворилась. Из комнаты решительно шагнул моложавый мужчина в черной зековской робе — Уголек. Тщательно закрыв за собой дверь, неторопливо направился в тамбур следом за офицером. Не поздоровавшись и не глядя на собеседника, резко бросил:

— Я был вынужден дать сигнал опасности. Это вы ловко придумали — замастачить ваш прибор ко мне в матрас. И сработал он надежно. Ваши люди быстро причесали зону.— Закурил «Приму», присел на корточки, широко расставив колени. Сделав паузу, выдохнул: — Седому кранты. Хазар ночью собрал сход и объявил его «гадом». Теперь в зону ему выходить нельзя. Его человек, Рыжий, переметнулся к Хазару.— Молча опустил руку к правой ступне и неуловимым движением извлек из носка короткоствольный револьвер «Ругер» калибра 357 с шестью зарядами.— Заберите, будут шманать.

— Откуда это у тебя?

Уголек поднял лицо и, криво усмехнувшись, сказал:

— Уверены, что всегда успеете прийти на помощь? То-то и оно. А я должен как-то защищаться от этих волков.

Оперативник покачал на ладони револьвер.

— И много такого добра в зоне?

— Полно оружия по рукам ходит. Я же пересылал вам два самодельных револьвера под малокалиберный патрон.

— Понятно...

— Как видно, партия Седого проиграла вчистую. Кавказцы сейчас будут душить «мужиков». Люди запуганы, и ваш спецназ не поможет. Спецназ ушел, кавказцы опять за дело. Уже пятерых за нынешнюю неделю Хазар объявил «гадами». А сам с начальником колонии чаи распивает, мозги ему пудрит, что производственные показатели на промке до неба вырастут. А тем временем наркоту, золотишко через Леньку Заболотского гонит. Неужели ваши начальники до сих пор не поняли, что кавказцам нужен Урал со всеми потрохами?!

Оперативник незаметно усмехнулся.

— Начальники приходят и уходят... Сегодня мы должны знать и отслеживать, а завтра, может быть,— действовать.

Вспомнив что-то, Уголек оживился.

— Кстати, вам известно, что Хазар поддерживает отсюда связь с вором в законе Рафом из Еревана? А Раф уже через свою связь в Москве (телефон квартиры в Москве и данные на связь я вам дам) проворачивает валютные операции с Берлином. Там «наколки» тоже имеются. Дело у них поставлено на широкую ногу.

— Да? А кто этот Раф?

— Ну, вы даете! А еще госбезопасность называется! Вот так вы государство и прошляпили. То ли еще будет...

— Давай о государстве в другой раз поговорим.

— Раф — это «отец» семейства в Москве. Ему подчиняются все 10 крупнейших московских группировок.

— Откуда тебе это известно?

Вновь неуловимое движение.

— Вот радиозакладка и магнитофонная запись. На этой ленте много интересных разговоров Хазара по телефону.

После ссоры с Хазаром вывезли Седого из зоны в СИЗО; более месяца он провел в одиночной камере, прежде чем его этапировали за пределы области. Через известные только ему каналы этот еще недавно всесильный авторитет попытался навести справки об отношении уголовных группировок к Хазару и его «объяве». Выяснилось, что помогать ему никто не станет. Хазар был на положении старшего, и его решение — закон. И все же в преступном мире произошло замешательство, сплоченность дала трещину.

Верными дружбе с Седым остались только Олег Елунин и Трифон — одни из самых ярких звезд на небосклоне сегодняшнего уголовного мира России. Эти деятели поставили себе цель — «бомбить» воровские кассы азиатов. По наводке они разгромили собираемый от сбыта наркотиков «общак» в Ташкенте, который Хазар намеревался перевести на Урал. Трифон и Елунин следом за Седым были объявлены «гадами». Но с ними поступили вполне интеллигентно, сдав их УВД. Трифон был арестован, а Елунин объявлен в розыск.

«ВЫШЕЛ ЖУЛИК ИЗ ТУМАНА...» ИНТРИГИ И РЕЗНЯ

По данным Интерпола, Россия стала самой криминогенной страной в мире. Екатеринбург, по данным отечественных специалистов, стал самым гангстерским городом в стране, а Свердловская область занимает первое место в России по числу совершаемых здесь убийств и других тяжких преступлений.

Существенно, что за последнее время тут совершена целая серия публичных, так называемых заказных убийств. Организация террористических актов по схеме классических засад, безупречное владение автоматическим оружием, хладнокровные действия, высочайшие навыки конспирации и умение бесследно растворяться средь бела дня,— все это свидетельствует о том, что «киллеры» проходят в неизвестных местах специальную подготовку.

Эти убийства, число которых перевалило за полторы сотни и ни одно из которых не раскрыто, вызвали настоящую панику в коммерческих кругах и резко усилили социальную напряженность в регионе.

Существует несколько официальных версий происходящего: «схлестнулись» капитал бывшей партийно-комсомольской номенклатуры, вложенный в коммерческие структуры, и капитал, нажитый криминальным путем; представители кавказских преступных кланов пытаются вытеснить местных предпринимателей с богатейшего рынка Урала (цветных металлов, золота, леса, драгоценных камней) и создать региональный воровской «общак», подчиненный ворам в законе, выходцам с Кавказа и Закавказья; и наконец, центральный воровской «общак» (московский) стремится подчинить себе криминальные структуры Среднего Урала и местный бизнес, который пропитан уголовниками.

Все эти версии, однако, были составлены без учета обстановки в преступном мире региона, сложившейся к 90-м годам, и расстановки криминальных сил.

* * *

«Охотничий сезон» был открыт в июле 1990 года, когда в подъезде дома зарезали Азиза, ближайшего подручного Хазара.

В июне 1991 года убивают лидера уралмашевской группировки Григория Цыганова. Убийца стрелял из ружья ночью через окно.

В ночь со 2 на 3 апреля 1992 года без вести пропадает Павел Тарланов, сын одного из богатейших людей Свердловска, опытнейшего «цеховика» Игоря Тарланова. После исчезновения Тарланова-младшего Хазар пришел на могилу Азиза и, следуя мусульманскому обычаю, вылил на нее бычью кровь со словами: «Я отомстил за тебя». (В отделе по борьбе с организованной преступностью УВД Екатеринбурга хранится сделанная скрытой кинокамерой видеозапись этого ночного визита.) Однако Хазар ошибался и явно поторопился с ритуальным окроплением могилы кровью: к убийству Азиза Павел Тарланов не имел ни малейшего отношения и, следовательно, его уничтожение никак не могло быть актом мести.

Тарланов-старший предпринял шаги в поисках сына; и в мае 1992 года снайперский выстрел обрывает его жизнь. Снайпер стрелял с чердака соседнего дома, ночью, в узкий проем между кухонными занавесками. Безутешный отец только на секунду показался в поле зрения стрелка. Хватило и секунды,— наповал.

В июне 1992 года в собственной квартире из пистолета через окно был убит вор в законе Хорек, оказывавший помощь правоохранительным органам в расследовании предыдущих убийств.

В сентябре 1992 года в салоне «Вольво» застрелен из пистолета Макарова известнейший предприниматель Екатеринбурга, президент «Европейско-азиатской компании» Виктор Терняк; вместе с ним застрелены его охранники.

В октябре 1992 года произошла наиболее кровавая расправа. Олег Вагин, криминальный предприниматель, совладелец Уральской товарно-сырьевой биржи, средь бела дня, в центре Екатеринбурга, был демонстративно расстрелян из автоматов вместе с тремя охранниками.

В марте 1993 года расстрелян в автомобиле из автоматов, выражаясь профессиональным языком, близкая связь Вагина по криминальной деятельности, а попросту, его сообщник Малофеев.

Именно эти убийства, ни одно из которых не раскрыто, вызвали цепную реакцию новых тяжких преступлений и поставили в тупик органы внутренних дел. Даже авторитетнейшие воры в законе далеко не сразу разобрались в том, какие силы разыгрывают кровавые драмы. Для некоторых лидеров уголовной среды, а также верхушки частного бизнеса, который весь, за редким исключением, носит криминальный характер, многое и до сих пор остается не до конца проясненным. Что уж тогда говорить об органах внутренних дел...

Попробуем же заглянуть за кулисы преступного мира.

* * *

Хочешь быть богатым — плати. Это первое «золотое» правило российской коммерции. Пренебрегая им, не станешь богатым: обдерут как липку рэкетиры. А тот, кто, сколотив состояние, попытается «стать над ним»,— лишится жизни.

Игорь Павлович Тарланов знал все «установки» отечественного предпринимательства не понаслышке. Отлично понимал, что они ковались в горниле суровой действительности, а потому самое разумное было не трепыхаться попусту, а приноровиться, смотря по обстоятельствам. Законы арестантского братства приучили его делиться куском хлеба, и не только хлеба, с блатным миром. И теперь он, самый преуспевающий коммерсант Свердловска, не мог не позаботиться о благополучии «генералов» преступного мира, отбывающих срок в уральских зонах. Весь вопрос был в том, чью «крышу взять». А время подгоняло, не позволяя слишком долго тянуть с решением этого вопроса.

Тарланов все делал для того, чтобы устроить в ресторане «Космос» казино. Расчет был прост: выкупить за миллион рублей здание ресторана, поставить в залах рулетку, игорные столы и качать деньгу. Более надежного источника постоянного дохода быть не может. А там, обзаведясь капиталом, откупить у местных властей землю в центре Свердловска с ветхими дореволюционными постройками, включая остатки дома купца Ипатьева, где был в 1918 году злодейски убиен царь Николай с семьей,— вот тебе и поле для крупномасштабного бизнеса. Поставить вокруг ипатьевской пустоши банк, гостиничный комплекс и сдавать помещения в аренду под офисы, жилые помещения приезжим деловым людям. Ведь скоро весь коммерческий мир помчится на Урал.

Однако осуществлению этих блестящих планов мешала одна проблема — рэкет. Жадность и наглость захребетников, живущих за счет бицепсов, известны. Кроме того, свердловская хулиганская среда всегда отличалась заносчивостью, самостийностью и презрением к воровскому праву. Если не поставить эту публику на место, не обуздать ее, то, считай, деньги будут выброшены зря.

Особое беспокойство у Тарланова вызывали две фигуры — лидер уралмашевцев Григорий Цыганов и глава центральной группировки рэкетиров Олег Вагин. Цыганов вербовал на свою сторону бывших осужденных, которых притесняли в зонах уголовные авторитеты. Он привлекал в коммерцию молодых людей, изнасилованных в колониях, сплачивал вокруг себя спортсменов. Его авторитет в уголовной среде был чрезвычайно высок.

Что же касается Вагина, то это был свирепый и беспощадный хищник, скопивший первоначальный капитал благодаря рэкету. Став во главе молодежной группировки и распространив свое влияние на весь бизнес от азартных игр, он стремился к объединению с представителями легального предпринимательства. И небезуспешно: ему удалось стать совладельцем Уральской товарно-сырьевой биржи, вокруг которой начали концентрироваться криминалитеты. В апреле 1992 года Вагин заявил исполняющему обязанности начальника Управления по борьбе с организованной преступностью В. Барабанщикову, что он и его единомышленники скоро будут хозяевами в городе. Чтобы укрепить свой авторитет, Вагин в благотворительных целях перечислил 10 миллионов рублей УВД Свердловска, подарил городу два троллейбуса. («Отцы города» прекрасно знали, кто такой Вагин и каким образом он сколотил свое состояние: разбой, насилие, вымогательство. Тот факт, что они приняли его дары, — весьма пикантная деталь, которая не может не наводить на определенные размышления.)

Единственным экономическим соперником Вагина был президент «Европейско-азиатской компании» Виктор Терняк, представитель интересов бывшей партийно-комсомольской номенклатуры. Возглавляемая им компания успешно укрепляла связи со всеми крупными промышленными предприятиями Свердловска, овладевая тем самым значительными источниками доходов. Самые большие барыши сулили контракты с оборонным гигантом — заводом имени Калинина на поставку цветных металлов на экспорт в страны Запада.

Пойдя в гору, Терняк отказался выплачивать Вагину часть доходов от подпольной распродажи спиртного в ресторане «Старая крепость». И тогда на одном из банкетов, которые устраивал Терняк, появился Вагин в окружении своих молодчиков. Терняк был жестоко избит.

Поумерить аппетиты таких деятелей, как Олег Вагин и Григорий Цыганов, могли только воры в законе. «На ком из них остановить свой выбор?» — раздумывал Тарланов. Вор в законе Черепан, державший «общак» в городе, смертельно болен — рак желудка. Как и физические силы, он день ото дня терял нити управления уголовной средой. Кто еще из воров на Урале мог поддержать Тарланова? На воле был Антип, но он немощен, силы его подточил туберкулез. В «Сосьвеспецлесе» сидит Кукла, он с «душком», уважительно подумал Тарланов, но он далеко и предан братвой. Остается только Хазар.

Тарланов понимал, что воры в законе на Урале — народ пришлый. В прежние годы они здесь не совали ноздри в подпольные цеховые дела, как это делали на юге. Да и дружен был Игорь Павлович с некоторыми чекистами сталинской закваски. А тут, в оборонном центре страны, они имели большой авторитет.

Но времена пришли другие. «Лаврушники» (воры в законе с Кавказа) как будто почувствовали уральскую золотую жилу. И вот Хазар, поставив Тимура «смотрящим» по Свердловску, начал внедряться в регион, выступая в роли защитника «усталых и угнетенных». Отрицал национализм. Обещал дать свободно вздохнуть мужику на зонах, оградив от притеснения администрации и «повязочников». Грозился усмирить рэкетиров в городе: «Зажарить живьем и съесть». И кажется, встал на сторону воров в законе, распространивших из Владимирского централа обращение к преступному миру: «...В данное время во Владимирской крытой находится семь воров. В настоящее время ворами повсеместно пресекается распространение грязи и пороченье воров, как покойных, так и здравствующих, со стороны лиц, преследующих националистические интересы, в частности, следующих в Россию с Юга.

Это прямое блядское проявление и гадские помыслы. Воры дают воровскому люду наказ: пресекать в корне подобную грязь и пороченье воров. Также вам наказ: пояснить всему порядочному люду и молодежи.

Всем вам доброго в жизни.

Воры Владимира (декабрь 1989 г.)».

В конце концов Тарланов остановил свой выбор на Хазаре. Надо было ехать к нему в зону. Игорь Павлович имел своего человека, знавшего дорогу к «родскому».

ИЗ СООБЩЕНИЯ АГЕНТА «ВОЛЬФ»:

При выполнении вашего задания источником были установлены дружеские отношения с Павлом Тарлановым, сыном интересующего вас объекта. Знакомство состоялось в свердловском ресторане «Космос» при следующих обстоятельствах. Паша, сидя за столиком в зале ресторана около сцены варьете, устроил разнос официанту по имени Володя. Официант отошел к бару в другой конец зала в надежде увидеть там вора в законе Тимура и пожаловаться ему на Тарланова. Не найдя Тимура, пожаловался Малофееву, человеку Вагина. Этот начал «наезжать» на Тарланова, на что Паша пообещал вывезти всех на карьер и там расправиться. В ответ Малофеев вытащил пистолет Стечкина и упер его в лоб Тарланова со словами: «Тебя и твоего папаши здесь не будет никогда». Тогда мой человек по кличке Тесак (вам известен) подошел по моей команде к Малофееву и, взяв за ствол пистолет, сломал палец Малофееву, так как тот не хотел выпускать оружие.

Инцидент был исчерпан. Мы с Пашей, который

выглядел очень возбужденным, познакомились и отправились к его отцу. Из квартиры Тарлановых позвонили в зону и назначили «стрелку» (встречу). Дома Паша забился в истерике и потребовал, чтобы мы немедленно поехали к вагинцам и расправились с ними, а самого Вагина повесили. Источник предостерег Тарланова-младшего: опасно вести такие разговоры.

Одновременно сообщаю, что в Свердловске сложилась устойчивая коалиция Трифона из числа фраеров. В нее входят Олег Елунин (вам известен) и Тесак на правах авторитетов. Группировка решила вести вооруженную борьбу с кавказскими ворами. Намечено захватить воровской «общак» в Ташкенте. В общей сложности в группировку входит около ста человек из спортсменов и различных хулиганов. Костяк составляет пять человек.

Между прочим, Тесак рассказал источнику, что они недавно «поставили» (ограбили) рынок в Риге. Это вызвало неудовольствие некоторых авторитетов, считающих рынок своей вотчиной. Трифон источнику подтвердил, что, когда один вор пригласил Тесака в машину для объяснений по этому поводу, тот протянул ему пистолет со словами: «На, убей меня за то, что я граблю спекулянтов». Вор совсем не ожидал такого поворота дела и в замешательстве отказался. Тогда Тесак направил ствол на вора и нажал спусковой крючок...

Задание: Установите местонахождение Трифона. Продолжайте изучать поведение отца и сына Тарлановых.

Мероприятия: По фактам деятельности группировки Трифона организовать проверку. Информировать УВД.

Хазар внимательно отнесся к предложению Тарланова стать совладельцем казино и отвадить от прибыльного дела рэкетиров и хулиганов; с напускным равнодушием «родский» отказался от предложенных денег, велев передать их братве на «общак» зоны. Встреча, как писали раньше в газетах, завершилась в теплой и дружеской обстановке, в атмосфере полного взаимопонимания. Отныне задуманное Тарлановым предприятие имело радужные перспективы. Его крутой отпрыск Паша, который держал свою группу физически крепкой молодежи, побратался с вором Тимуром, и ресторан «Космос» теперь считался их неразделеньным владением.

Но то, чего с таким трудом добиваются отцы, не ценится их оболтусами-сыновьями. Затаив злобу на Вагина, Паша стал искать стычки с ним; а между тем, напиваясь, безудержно болтал в компании девиц, что он и его отец — хозяева казино, а воры служат их семье.

Из болтовни Тарланова-младшего Вагин своевременно узнал, что Хазар прочно садится на Свердловск со своей братвой. Но появление воров в законе угрожало распространению влияния Вагина на криминальную среду. И тогда у него созревает план по убийству Азиза: авось воры отступятся от игорного бизнеса. Убийца, московский «гость», с которым Вагин заключил контракт, поджидал Азиза в «Космосе»: знал, что тот, возвращаясь со «свиданки», непременно заглянет в ресторан. А дальше все было просто: дождался, опередил, устроил засаду в подъезде и зарезал хладнокровно и аккуратно. Точно плевок растер.

Воспользовавшись замешательством, возникшим в преступном мире после убийства Азиза,

Вагин договаривается с Тарлановым о том, что его группировка возьмет на себя обеспечение зоны криминальной безопасности на территории, прилегающей к «Космосу». В перспективе же Вагин должен был стать совладельцем казино.

Между тем шел усиленный поиск организаторов убийства Азиза (органы внутренних дел, естественно, в очередной раз расписались в своей беспомощности; искали воры). Тимур и Тарланов-старший не раз строили предположения на этот счет. Участвуя в их беседах, Вагин активно поддерживает версию, что за убийством стоят люди из уралмашевской группировки, возглавляемой Григорием Цыгановым. Контролируя железнодорожный вокзал и имея зону влияния вблизи ресторана «Космос», Цыганов мог претендовать на часть прибыли от казино. Кроме того, Григорий был «махновцем». Иначе говоря, ни во что не ставил воровское право. Таким образом, версия Вагина сработала. Воры решили, что расклад сходится полностью. (В любом случае подпускать к золотому дну опасного конкурента им никак не «климатило».) Участь Григория Цыганова была решена. В душную июньскую ночь наемный убийца поставил точку в его «блестящей» карьере.

В подготовке этого убийства участвовал Тимур. Опасаясь разоблачения и неизбежной расплаты, он решил укрыться в зоне под крылышком у Хазара. Для этого устроил в ресторане «Космос» драку и оказал активное сопротивление милиции. В результате все вышло так, как он задумал. Его арестовали, судили и этапировали в ИТК к «крестному отцу».

Преступный мир распространяет версию о причастности Седого к аресту Тимура. Иначе как же вор в законе мог так дешево попасть в руки органов МВД? Глядишь, так и авторитет пострадает. Чтобы этого не случилось, и пустили слух: дескать, не сам Тимур, а всесильный КГБ по наводке Седого спровоцировал драку. А то как бы арестовали вора в законе?! Этой интригой одновременно убивали двух зайцев: надежно скрывалась истинная причина, почему Тимур так просто «подзалетел», и окончательно компрометировался Седой.

В марте 1992 года Хазар был досрочно освобожден из мест заключения. В местечке Николо-Павловское состоялся пикник по случаю освобождения. По сути дела, это был сход, на котором присутствовали крупные авторитеты из Свердловской области. В ходе встречи Тарланов заявил Хазару, чтобы тот не рассчитывал на свое закрепление на Среднем Урале. Пока Хазар отбывал наказание, его поддерживали как вора в законе. Но теперь на Урале он только гость и не должен вмешиваться в местный бизнес. Что касается казино, то компаньонство Хазару никак не светило. Тарланов высказался на этот счет вполне определенно.

Позднее, пожив в Свердловске, Хазар имел возможность убедиться в том, что Тарланова окружают «бойцы» из рэкетиров, надежно охраняющих территорию. Помощь Хазара здесь была не нужна. Поразмыслив и сопоставив факты, «родский» сделал вывод о причастности отца и сына Тарлановых к убийству Азиза. Ведь именно Азиз должен был стать компаньоном Тарланова по казино, а стал — лишним.

Итак, месть. Через вора в законе Свердловского, коронованного Хазаром в ИТК-17, до уралмашевской группировки доводится информация, что убийство Григория Цыганова «заказали» Тарлановы. И расплата не заставила себя ждать. Сначала похищается и находит свой конец Павел. Затем люди Цыганова поручили спортсмену-уралмашевцу, мастеру спорта по биатлону, «разобраться» с Тарлановым-старшим...

Свою роль в устранении Тарланова сыграл Вагин, который желал быть единоличным хозяином казино и подтвердил людям Цыганова причастность Тарлановых к организации убийства их лидера.

После убийства Тарлановых в деловом мире Свердловска началась паника. Из города исчезли все авторитеты. Между тем преступный мир России в лице известных воров в законе Куклы, Боженьки начинает обращать внимание на захлестнувшее регион насилие. Решено было провести сход. И вот характерная деталь, показывающая, что было бы грубой ошибкой думать о ворах в законе как о беспринципных людях, для которых на первом месте их собственная «сладкая жизнь». Чтобы быть этапированным из Сосьвы в Свердловск и присутствовать на сходе, Кукла сымитировал нападение на офицера колонии и получил дополнительный срок в четыре года. А ему тогда уже было 64 года. Казалось бы, что он Гекубе, что ему Гекуба? А вот поди ж ты. И это норма. Среди воровской «аристократии» чрезвычайно развито чувство долга, высокого долга. Сан обязывает. Ведь вор в законе — верховный судия, перед которым склоняют головы все прочие уголовники. И непререкаемый авторитет его зиждется в первую очередь на том, что он с честью исполняет свой долг и умеет быть справедливым.

Сход состоялся 25 августа 1992 года в СИЗО-1 Свердловска. На встрече Кукла и Боженька осуждают действия Хазара по укреплению своего влияния на Урале, так как они подняли волну насилия. Воры в законе, по их единодушному мнению, не должны «пачкаться» коммерцией, они призваны обеспечить права и нормальный труд мужиков в зонах. А для этого необходимо пресечь беспредел, который творится как в колониях, так и на воле.

Боженька пытается предпринять шаги, чтобы быть этапированным в одну из ИТК Среднего Урала, а там, пользуясь авторитетом вора в законе, обеспечить справедливые разборки в уголовной среде. Но для исполнения этого плана нужны деньги. Кукла и Боженька стараются установить контакт с местными «чистыми» предпринимателями, договориться о взаимной поддержке; кроме того, стремятся убедить руководство и оперативный отдел ИТУ УВД Свердловска в своей лояльности к властям, говорят о своем осуждении насилия в уголовной среде.

В конце концов им удается найти взаимопонимание с президентом «Европейско-азиатской компании» Виктором Терняком, на которого постоянно «наезжали» рэкетиры Вагина. На встречу с Боженькой в СИЗО прибыл представитель Терняка; они обговорили, как можно нейтрализовать Вагина, сдав его правоохранительным органам.

Между тем Вагин вконец распоясался, прибрав к рукам спортсменов. И настолько утратил чувство реальности, что публично оскорбил вора в законе Северенка, недвусмысленно показав, что воры в Свердловске никто, а хозяин в городе только он. Словом, как говорится, нарыв созрел. Однако неосторожные действия Терняка позволили Вагину получить информацию о том, что складывается союз Терняка с русскими ворами в законе. И 8 сентября 1992 года наемный убийца расстреливает Терняка в автомобиле.

После случившегося Кукла и Боженька проводят собственное расследование; его результаты становятся известны группировке Цыганова: ко всем убийствам так или иначе причастен Вагин.

ИЗ СООБЩЕНИЯ АГЕНТА «ВОЛЬФ»:

К источнику обратился мужчина около тридцати лет, назвался Геннадием и, передав привет от Тесака, сообщил, что готовится расправа над Вагиным и Малофеевым. Расправу готовит Костя Цыганов, брат покойного Григория. Костя непрерывно искал тех, по чьей вине погиб его брат. При поиске он пользовался данными, получаемыми от его друзей из областного управления МВД, с которыми Гриша когда-то играл в футбол.

Люди Цыганова раскаиваются, что из-за интриг Вагина была вырезана целая семья (имея в виду Тарлановых). Это была трагическая ошибка. На Вагине, который устроил мясорубку в Свердловске, поставлен крест.

Геннадий объяснил, что эти сведения сообщает из солидарности с теми, кто работает в бизнесе, и готов в дальнейшем предоставлять свои информационные и охранные услуги крупным бизнесменам на Урале. Адрес свой не оставил, сообщил только, что сам найдет источника. Если у источника будут клиенты, готов вступить с ним в переговоры.

Приметы Геннадия: возраст 30—35 лет, рост выше 185 сантиметров, лицо вытянутое, нос сло-

ман, уши оттопыренные, телосложение атлетическое. На правой руке, на среднем пальце печатка из желтого металла.

Примечание оперработника: «Геннадий», судя по всему,— это Олег Елунин.

СПРАВКА ОБ ОБСТОЯТЕЛЬСТВАХ УБИЙСТВА ОЛЕГА ВАГИНА

28 октября 1992 года во дворе дома по улице Маршала Жукова группа неизвестных лиц из трех человек осуществила расстрел из автоматов системы Калашникова уголовного лидера Олега Вагина и трех его охранников. Расстрел произошел при следующих обстоятельствах.

Опасаясь расправы над собой после серии убийств в Екатеринбурге, Вагин, по свидетельству очевидцев, с сентября 1992 года постоянно находился в окружении телохранителей и практически не снимал бронежилета при появлении в общественных местах.

28 октября около полудня он с тремя телохранителями прибыл домой, и там его застал телефонный звонок. Звонила секретарь из офиса. Спустя некоторое время после разговора с ней Вагин направился к выходу. В это время к дому подъехал автомобиль марки «Москвич»-сапожок и, перекрывая выезд со двора, развернулся кузовом к подъезду. Когда Вагин в сопровождении охранников вышел из дома, из фургона выскочили три человека и открыли прицельный огонь из автоматов. Вагин и его спутники пытались укрыться от огня за автомобилем, но были смертельно ранены, а затем добиты плотным автоматическим огнем. Нападавшие сели в автомобиль и скрылись в неизвестном направлении.

На всю операцию убийцам потребовалось чуть больше минуты и от 80 до 90 патронов.

В марте 1993 года наступил черед Малофеева, сообщника Вагина. Его автомобиль преследовали, пока у того не заглох мотор. Малофеев не пытался развернуться и пойти на таран или совершить какой-либо другой неожиданный маневр. Это было бегство обреченного, потерявшего от страха голову. Пока наемные убийцы, выскочив из машины, бегом с автоматами наперевес преодолевали последние несколько метров, Малофеев, парализованный ужасом, визжал, как раненый заяц, и у него отовсюду текло... А уж каким считал себя крутым! Автоматные очереди буквально растерзали его тело.

И все это происходило средь бела дня, на городских улицах.

ВОРОВСКОЙ МИР

Свыше трех лет сотрудники госбезопасности, и в их числе капитан Малышев, искали разветвленную организацию с устойчивой структурой и управлением, чтобы утвердиться в собственной убежденности: мафия в России существует.

Под прицелом разработки находились крупные лидеры преступного мира, были установлены их приспешники-коррупционеры в органах власти, изучены боевые группы исполнителей, определены источники, из которых черпались огромные средства и ради которых гремели выстрелы. Но стоило только попытаться построить четкую схему российской «Коза ностры», объединяющей различные регионы страны, как рушились все надежды увидеть в ней цельный, хорошо отлаженный механизм и структуру, присущие традиционной организации в понимании цивилизованного общества.

Структура прослеживалась, но она была размыта и рассеивалась, точно туман, при попытках связать несколько преступных групп в единую схему деятельности. Лидеры преступного мира, или, как их называют, «крестные отцы», в реальности осуществляли полномочия третейских судей и сами преступлений не совершали, объединенными действиями не руководили. А значит, какие они там «крестные отцы» — просто «интеллектуалы» криминальной среды, наживающиеся за счет тупой уголовщины. Коррупционеры также не входили в предполагаемую организацию. Чиновники всех мастей и рангов, конечно, брали взятки, но им было все равно, от кого получать деньги. А боевые структуры — это артель хулиганов и заурядных бандитов, которые грабили, убивали, силой вытрясали долги потому, что считали это чрезвычайно прибыльным делом.

В конце концов стало ясно, что нет смысла вычерчивать схему отечественной мафии по итальянским или американским лекалам. Российская «Коза ностра» существует не в головах теоретиков, а в жизни и является зеркальным отражением любой преуспевающей коммерческой организации. Разница только в способах получения и распределения дивидендов. Вернее, что касается воровского «спрута», то здесь никакого распределения нет, все поступает чистоганом в «общак». Принцип такой: предприниматели отдают часть прибыли в «общак», а взамен получают свободу наживаться незаконными способами, по сути, обворовывая государство. Если же не делиться с «общаком», то и воровать не дадут. Либо отчисляй, либо убьют. Садятся на хвост тем, у кого есть скрытая от налогов наличность. На нее у преступного мира, полновластного хозяина в криминальных сферах, отменный нюх. Ни для кого не секрет, что в России все частные ларьки и частные автостоянки выплачивают дань рэкетирам. И платят все, у кого хорошо идет полукриминальный бизнес, имеется в виду тот, где можно легко скрывать доход от налогов.

Существующие здесь расценки предпринимателям знать необходимо. Если платите государству до 90 процентов от дохода, то можете смело «процветать», не опасаясь «наездов» боевиков. Но стоит только вам укрыть от государства свыше 30 процентов дохода — ждите гостей, которые нелегальную прибыль пристегнут к «общаку».

Вывод один: уголовная среда паразитирует на экономических правонарушениях. И чем больше граждан ими не гнушаются, тем крепче становится преступный мир.

Совместное предприятие «Ли-Ит» (Литва-Италия) с уставным капиталом в один миллиард рублей преуспевало на поприще экспорта цветных металлов. Люберецкие «качки», сообразив, что намного выгодней, не проливая пота и крови в хулиганских стычках и грабежах, охранять толстосумов, ринулись в Москву. Фирма встретила их с распростертыми объятиями: слава богу, молодежь одумалась и теперь будет служить бизнесу. Но не тут-то было. Воры в законе убеждены, что жульническая кровь течет в жилах каждого человека, и они безошибочно сажают на крюк всякого, кто хоть раз попробовал вкус незаработанного рубля.

Саша Холенко, не отличавшийся крутым нравом, стал заведовать в «Ли-Ит» охраной. Присутствуя при заключении сделок, понял, что у хозяина не все чисто по части законности, а значит, его можно шантажировать. Хозяину некогда было улаживать дела с милицией, прокуратурой и другими инстанциями, Саша это делал как нельзя лучше, отстегивая по мелочи за счет фирмы. Затем Холенко взял на себя функции нелегального криминального инспектора по всей неучтенке, скапливающейся у хозяина. Холенко со своими корешами неплохо погрел на этом руки и даже прикармливал группировки рэкетиров, рыскающих по Москве. По мере того как росли аппетиты у братвы, Саша все настойчивее проникал в финансовые тайны хозяина. Все кончилось тем, что «Ли-Ит» пришлось закрыть, а хозяину сбежать в Америку.

Преуспевающему деловому человеку тяжело жить под охраной стволов автоматов. Автоматы лишние, если хочешь предостеречься от хулиганских нападений, и бесполезны, если стал жертвой уголовного террора. На помощь государства рассчитывать не приходится, ведь официально уголовного террора в России не существует, а значит, помощи не жди.

Известны случаи прямого захвата российских банков рэкетирами. В таком случае благоразумные председатели правлений по приказу бандитов-«сопредседателей» сходят с банковской российской сцены, а если нет, то расстреливаются автоматчиками, личность которых еще никогда не удавалось установить.

Как происходит подчинение банка или крупной коммерческой организации бандитам?

Самое опасное, когда в среду руководителей предприятия проникает уголовная бацилла. Она может произрасти из чисто бытовой проблемы. Скажем, хулиганов привлекают для того, чтобы защитить детей от уличной шпаны, а то — чтобы отыскать угнанную автомашину.

Взаимные симпатии, по мере обмена услуга за услугу, переходят во взаимную зависимость. Если кто-то из бизнесменов хвастает своими связями с крутыми мальчиками, будьте с ним начеку. Этот господин — несчастный человек, обремененный деловыми заботами, целиком зависит в решении своих житейских проблем от «качков» и прочей шпаны. А за подобной публикой всегда может оказаться крупная уголовная личность, и попавший в сети хулиганов бизнесмен в нужный момент будет проглочен с потрохами.

Такого рода история произошла с председателем правления Всероссийского коммерческого банка Александром Конаныхиным. Известно, что банковское дело нуждается в надежной охране и в обеспечении информационной безопасности, заботе о безупречной репутации. Его сопредседатель правления прекрасно справлялся со всей этой работой. Однако никто не знал, что ставку он делал на крутых ребят из спецназа, а те, в свою очередь, имели дело с рэкетирами, подрабатывая в артели с ними.

Разумеется, в скором времени банк стал преимущественно финансировать сомнительные программы в интересах «своих людей». Говоря попросту, финансы, недвижимое имущество, автомобили начали растаскиваться. Когда же Конаныхин попытался провести инвентаризацию, сопредседатель задал ему баню и потребовал ни во что не вмешиваться, пока голова цела. И понял тогда Конаныхин, что банк фактически захвачен рэкетирами. Жалобы в органы МВД и МБ России на то, что банком командуют бандиты, ничего не принесли. Оперативные службы в банковских делах не разбираются. А кроме того, у соперника оказались свои люди в этих службах; они по его просьбе «проявляли пассивность». Отчаявшись, Конаныхин попробовал забрать принадлежащий лично ему финансовый капитал и выйти из дела. В ответ бандиты потребовали оставить все как есть и «исчезнуть». В противном случае смерть. Конаныхину ничего другого не оставалось, как плюхнуться в удобное кресло «Ауди» и ночью рвануть в Австрию.

В этой истории есть еще один сюжет. После вынужденного бегства Конаныхина на Запад в преступном мире разразилась целая буря. Оказывается, существовала программа реабилитации бывших осужденных, которую финансировал Конаныхин. Поэтому происшедшее с ним воры в законе расценили как беспредел. Они «поставили крест» на тех, кто позарился на средства, выделенные для помощи бывшим зекам.

* * *

В 1988—1992 годах госбезопасность, тайно сотрудничая с доверительными сотрудниками МВД, наблюдала за лидерами преступного мира и их окружением. Было установлено 226 воров в законе; часть воров бралась в плотную оперативную разработку, чтобы выяснить степень их причастности к войне на Кавказе, установить факты преступного проникновения в сферы экономической деятельности и выявить организации уголовного характера, созданные в различных регионах страны.

Нынешний преступный мир России представлен тремя сотнями воров в законе и так называемыми «смотрящими» с полномочиями от преступного мира. После распада СССР воры в законе, уроженцы Кавказа и Закавказья, Средней Азии и Прибалтики, преимущественно перенесли свою деятельность на территорию России, где нежесткий политический режим, нет такого «фактора риска», как гражданская война, зато есть достаточно плотная уголовная среда и большое количество исправительных лагерей. Большой приток нерусских (в первую очередь, конечно, кавказских) авторитетов вызвал в воровском мире раскол, который произошел под знаменем идейных разногласий между «традиционалистами», отвергающими коммерцию, и «модернистами» — теми, кто встал на путь капитализации. Сторонники старых традиций, как правило русские, все больше отодвигаются за пределы экономических сфер деятельности, им отводится роль авторитетов главным образом в колониях. Свое влияние «традиционалисты» осуществляют, выступая в качестве третейских судей при решении спорных вопросов между криминальными группировками, отстаивающими свои сферы интересов, а также — берясь за устранение взаимных претензий между бандами и коммерческими организациями. Кроме того, их власть безоговорочно признается в уголовной среде, из которой черпаются исполнители любого насилия, воспитанные в местах лишения свободы в духе воровских традиций.

В крупных промышленных районах и тех местах, где заметна коммерческая деятельность, воровская власть существует параллельно с официальной властью государственных органов. Причем российские предприниматели, как правило, стремятся заручиться поддержкой королей преступного мира при получении долгов с партнеров, не выполняющих договорные обязательства, или защите от локальных уголовных группировок и рэкета. Объяснение простое: в таком случае высока эффективность разрешения противоречий и споров в криминальной среде.

Усиление позиций воров в законе вызывает жесткое противодействие со стороны криминального предпринимательства, не признающего воровских традиций. За последнее время вор в законе перестал быть «священной коровой». Авторитетов начали отстреливать, как простых смертных. Убиты Бриллиант (Соликамск), Хорек и Свердловский (Екатеринбург), Тульский (Тула), Глобус и Сво (Москва), Моисей (Брянск) и другие. Началась охота за Хасаном. А группировка Трифона из Екатеринбурга, как только представляется возможность, беспощадно истребляет лиц, причастных к преступному миру, а также тех, кто занят криминальным предпринимательством. Люди Трифона без всяких объяснений расстреливают любого, кто имел неосторожность лишь упомянуть о своих связях с кем-либо из воров в законе.

Принято думать, что преступный мир — это все без разбора уголовники, которые совершают убийства, кражи, насилие, любые другие противоправные деяния. В действительности же эту среду представляют только воры в законе. В Москве их, например, как наиболее криминогенном городе, не более 50 человек. Воры в законе прибегают к насилию, подобно тому как хирург применяет скальпель: тогда, когда нужно, там, где нужно, и ровно столько, сколько нужно. Это коренным образом отличает их от заурядных тупых уголовников, для которых насилие все равно что топор для мясника: знай машут сплеча и не глядя, точно хмелея от пролитой крови.

Другое принципиальное отличие: воры живут по законам, выработанным за десятилетия существования своего «ордена». Эти законы строго определены. Вор не должен: иметь собственности, участвовать в политике, непосредственно заниматься коммерцией. Вор должен: служить только интересам братства воров в законе, быть справедливым в разрешении споров, помогать тем, кто находится в местах лишения свободы, устанавливать и поддерживать освященный традициями порядок.

Система внутренней защиты преступного мира заключается в том, что все воры обязаны поддерживать друг друга и заботиться о своем авторитете. Уголовник, поднявший руку на вора, подлежит уничтожению. Несомненно, что в интересах той же защиты «ордена» используется наметившееся за последнее время сближение авторитетов с правоохранительными органами. Воры в законе проявляют готовность к некоторому сотрудничеству прежде всего потому, что сами обеспокоены валом уголовного беспредела, захлестнувшего Россию в перестроечные и послеперестроечные времена.

У преступного мира нет темных тайн, как пытаются представить некоторые писатели и ученые. И это не какая-то загадочная и глубоко законспирированная организация. Более того, вообще не организация, а идейное братство, построенное на взаимной поддержке и выручке. Причем иногда помощь оказывается и законопослушным гражданам, если у них возникают проблемы с уголовной средой. Такого рода поддержка особенно актуальна сейчас для коммерсантов.

Все происходящее в преступном мире, в том числе «труды и дни» его корифеев, известно, может быть, несколько специфическому, но достаточно широкому кругу людей. Ведь вор в законе — это не сектант, а сильная личность, харизматический лидер, «пастырь народов», который постоянно находится в поле зрения уголовной среды. Оборви же он свои бесчисленные связи, уйди надолго в подполье, «ляг на дно», то перестал бы пользоваться реальным авторитетом. Его влияние могло бы снизиться до нулевой отметки. Тут во многом по пословице: с глаз долой, из сердца вон.

Редко, но бывает, что воры в законе непосредственно сами совершают преступление (впрочем, такое случается и с законопослушными гражданами, пользовавшимися безупречной репутацией). Но в отличие от зауряд-уголовщины авторитет идет против закона не для того, чтобы урвать и хапнуть (он в этом просто не нуждается; ему стоит мигнуть или свистнуть, и доставят все, что он пожелает), а из идейных убеждений, чтобы отстоять свои принципы. Поэтому зачастую вор в законе не скрывает своего участия в преступлении. Вот почему можно смело утверждать, что воры в законе не причастны к организации межнациональных конфликтов и нет их вины, что льется кровь на Кавказе. В войнах, которые идут на южных рубежах бывшего Союза, отстаивается все что угодно, но только не принципы справедливости и солидарности, пусть и своеобразно понятые. А стало быть, ворам там делать нечего. Те же из них, кто пренебрег воровскими принципами и позволил вовлечь себя в межнациональный конфликт, сполна понесут ответственность перед всем братством...

Чтобы приблизиться к пониманию преступного мира, необходимо прежде всего отказаться от нелепого и смешного высокомерия; им сплошь и рядом грешат те, кто, вопреки народной мудрости, зарекается от тюрьмы. Кроме того, небезынтересно отметить, что воры в законе считают себя с точки зрения нравственности стоящими значительно выше так называемых честных граждан; по крайней мере, за редким исключением, воры не предают друг друга и не изменяют своим принципам (а в «миру» кто их сегодня видит, эти принципы?).

Не будет большим преувеличением сказать, что лагеря и зоны — это гигантское чрево, которое породило Страну Советов со всеми ее гнусностями и мерзостями, насилием, принципиальным отрицанием личности, человеческого достоинства и бесконечным ханжеством и лицемерием. Если рабы были главной производительной силой Древнего мира, то социализм с «большевистским лицом» сооружен зеками: знаменитые стройки всех пятилеток, гиганты индустрии — все, все построено на их костях. И, надо думать, рабы были просто счастливчиками по сравнению с зеками. Они кому-то принадлежали, представляли собой определенную ценность. А зеки, как и все в большевистской стране, ничьи, «дядины». Они гибли как мухи, пускались «в распыл» тысячами, и ни у кого душа не болела.

Преступный мир как раз и стал реакцией общественного организма на «прелести» сталинских, а потом брежневских, андроповских лагерей. Люди, попавшие в зоны, хотели выжить всеми правдами и неправдами, а это возможно только в закрытом для основной массы уголовников кругу.

Выживали самые умные, сильнейшие, умеющие постоять за себя. Да и уголовная среда, будучи разношерстной и мало чем отличаясь от волчьих стай, требовала внутреннего разрешения споров и противоречий. Она была жизненно заинтеесована в выдвижении наиболее способных лидеров, которые могли играть роль третейских судей. Поэтому вор в законе — лицо коллективно признанное, и оно обязано оправдывать оказанное ему доверие.

Советское государство, будучи само по природе и характеру уголовным, изначально проявляло заинтересованность в становлении и укреплении воровской власти. Ведь загнанную в зоны гигантскую массу людей, а вернее рабочий скот, мог держать в узде только преступный мир, но отнюдь не охрана и оперативные службы. И сегодня в колониях правит воровской закон, а не администрация. Можно не сомневаться, что, пока в пригородах промышленных городов существуют зоны с дешевой рабочей силой зеков, устои преступного мира будут непоколебимы.

По сравнению со сталинскими временами воровской «орден» значительно изменился. Если так называемые уркаганы и жиганы, составлявшие преступный мир в 20—30-х годах, были подконтрольны и даже подотчетны ОГПУ, то нынешние воры в законе представляют собой самостоятельную силу, более того — политическую силу, со своим видением происходящих в стране процессов и возможностью влиять на них.

Трудно, почти невозможно поверить, но именно лидеры преступного мира на заре горбачевской перестройки первыми забили тревогу: национальной безопасности государства угрожает экспансия международной мафии, кровно заинтересованной в нравственном разложении общества, и в первую очередь — в дискредитации чувства патриотизма.

Вот только одно тому подтверждение.

Сводка-меморандум беседы с вором в законе Бриллиантом
г. Соликамск, ИТК-6, 30 января 1986 года

— Василий, нам стоило большого труда найти вас. В ГУИД МВД скрывают, что держат вас в «Белом лебеде» — и где? В камере-одиночке.

— У меня сорок лет отсидки, и я знаю, как в «хатах» могут запудривать мозги. Меня заперли на «Белом лебеде», чтобы я «исправился» и дал подписку, мол, обязуюсь порвать с преступным миром. Смех, да и только! Я не сломался в пятидесятые, когда воры валом загонялись в кутузки и опера совали им бумагу и ручку для подписки. В ту пору нам пришлось хлебнуть от «хозяина». Я тогда тянул срок на Сахалине, и мы держались до конца. Сейчас мне семьдесят лет, глупо поворачивать оглобли назад.

И вот что я вам скажу. Не старайтесь списать все преступления на воров и не делайте из нас козлов отпущения. Мы несем свой крест чистоты воровской жизни. Она чище, чем вся ваша государственная конюшня. Сегодня вы нас в петлю толкаете, а завтра, когда мы уйдем, удавка затянется на вашей шее.

Я не случайно парюсь в одиночке, «хозяин» распорядился, чтобы меня спрятали от друзей. Сижу без грева. А все потому, что хотел собрать общий сход. Братва должна понять, что нам грозит разложение, нас хотят натравить друг на друга. Откуда этот ветер дует? Похоже, с Запада. Видно, опасаются нашей идейной сплоченности и хотели бы нас разобщить. Сиволапые (антисоветчики) топтали зоны, потом двинули за кордон. А там сообщили, что значит в России сила нашего братства. Вот вспомнилось! Я встречался с Буковским на централе во Владимире. Он хотел тогда втянуть братву в политику, чтобы преступный мир поддержал диссидентов. Но у нас нет хозяев, а у них у всех хозяева на Западе. Наша позиция пришлась не по вкусу политическим. И теперь для них преступный мир, как и Россия, словно кость в горле.

СПРАВКА

По сообщению доверенного лица М. Н. Л., администрация ИТК-6 намеренно ослабила контроль за окружением вора в законе Васи Бриллианта. В результате его задушил наемный убийца. Затем было инсценировано самоповешение.

Начиная с 1986 года, единое воровское братство, появившееся в тюрьмах и лагерях для защиты от насилия, начало раскалываться в результате организованного гонения на воров в законе. Неправовое преследование авторитетов преступного мира, искусственная организация компрометации отдельных личностей имели для общества катастрофические последствия. Это привело к бесконтрольности уголовной среды, бурному ее росту и развитию насилия. Ситуация напоминает борьбу китайцев с воробьями. В Китае решили, что воробьи наносят большой ущерб, склевывая зерно, и повели всенародную кампанию по уничтожению этих птах. В результате всевозможные вредители развелись в таком количестве, что, спасаясь от них, китайцам пришлось срочно ввозить воробьев из-за границы.

Это может показаться невероятным, но России сегодня впору заниматься реэмиграцией воров в законе, которые бежали на Запад, спасаясь от произвола «родного» государства. Жаль только, что за рубежом уважают права человека.

СПРАВКА

На запрос органов МВД России в департамент криминальной полиции США о задержании и репатриировании в Россию в распоряжение правоохранительных органов «Япончика» (Иванькова Вячеслава Кирилловича) был получен отказ с мотивацией нарушения гражданских прав.

Спровоцировав кризис в преступном мире, государство сыграло на руку огромной армии уголовников, заполонившей российские города и веси. Этой тупой и кровожадной силе, не имеющей ничего святого за душой, пока еще противостоит воровской союз. Но у него уже не та сила, какая была до раскола.

Одна часть воров на деле отстаивает принципы воровской жизни — невмешательство в коммерцию, выполнение только третейских функций в спорных вопросах между различными категориями граждан, а также в уголовной среде. Платы за третейский суд они не просят (!), полагая, что ходатай, в свою очередь, окажет ответную услугу, если к нему обратятся от имени вора. Насилие как способ разрешения спорных вопросов «традиционалисты» отрицают, прибегая к нему в отношении отступников и предателей, и лишь в исключительных случаях — в отношении лиц, не выполняющих предъявленные требования. Решение о применении насилия принимается на сходке воров.

Внешне придерживаясь традиций, другая часть воров всячески старается внедриться в крупные коммерческие структуры через третьих лиц (родственников, близких друзей). Оказывая «моральную» поддержку некоторым главарям рэкета, эти авторитеты не брезгуют пользоваться процентом от добытых вымогательством средств.

«Традиционалисты» осуждают своих собратьев-«рыночников» за двуличие. А двуличие в воровской среде не терпится, поскольку оно — прямой шаг к предательству интересов преступного мира. И если до сих пор между двумя этими ветвями еще не разгорелся конфликт, то только потому, что авторитеты стремятся всеми силами спасти свое воровское братство.

Выбор преступным миром того или иного пути развития во многом зависит от позиции деловых кругов России. Если предприниматели и коммерсанты откажутся от поиска разумного консенсуса с ворами в законе, начнут кормить рэкетиров, опасаясь за собственное благополучие, то положение «традиционалистов» окажется существенно подорванным. Произойдет даже не раскол, а раздробление преступного мира; и уже не будет такой моральной силы, как воровская идея, чтобы сдерживать натиск тупого насилия и беспредела. В конечном счете это приведет к кровавому конфликту между уголовными группировками. Страшно то, что эта война с ее беспримерной жестокостью и массовыми убийствами выплеснется на улицы российских городов...

Уже сегодня для бизнеса рядового коммерсанта нет ничего опаснее, чем рэкет. Рэкетиры берут половину доходов от сделок. Это оборачивается неизбежным разорением. Чтобы поставить зарвавшихся рэкетиров на место, коммерсант поневоле вынужден обращаться к авторитетным ворам в законе. Но как отбить рэкетиров от постоянной кормушки? Даже воры могут сделать это только через крутую разборку. Но тогда кровь неизбежно прольется как с той, так и с другой стороны.

Поэтому сегодня в Москве складывается мощная группировка из нескольких десятков воров в законе. Ее цель — взять под контроль все действующие в столице банды и цивилизованным образом (по воровским понятиям) оградить деловой мир от рэкета.

Ворами в законе принято коллективное решение: за оказание услуг в разрешении споров по поводу долгов, разбору жалоб на рэкет денег не брать, помимо добровольных пожертвований и подарков. Использовать такого рода контакты для расширения своего авторитета в противовес рэкету. И наконец, содействовать чистоплотности (!) коммерческих сделок предпринимателей.

* * *

С 1988 года, благодаря стараниям министра МВД СССР В. Бакатина (в прошлом большого партийного функционера — из тех, которые, как известно, на всю жизнь приобретают неистребимую привычку командовать чем угодно и при этом ни за что не отвечать), в Москве практически не осталось воров в законе. В результате этой своеобразной криминологической диверсии в невиданных количествах расплодились мордастые «беспредельщики», готовые за грош насиловать, пытать, убивать. Оставшись без «отеческого» присмотра авторитетов, всевозможное хулиганье и шпана всех мастей возомнили себя суперменами, хозяевами столицы и ее окрестностей...

Положение дел стало медленно меняться только в самое последнее время. Происходит это с большим трудом. И ворам в законе уже непросто справляться с нынешним крысятником. Драм тут происходит немало. Вот одна из последних, некоторые действующие лица которой еще у многих на памяти.

Товарищество с ограниченной ответственностью «Интерформула» благодаря своему деятельному коммерческому директору Анатолию Семенову имело весьма доходную статью — здесь процветала торговля импортными и советскими автомобилями. Но, увы, как всем известно, нет в мире совершенства. Торговля автомобилями — опасный бизнес. Высокий спрос на дефицитный товар всегда рождает уголовные предложения. «А если хочешь жить, то плати».

И Толя Семенов отнюдь не против был подчиняться этому требованию. Он не Христос и не Магомет, чтобы пытаться переделать этот мир. Если мир так устроен, он готов жить по его законам.

Но в том-то и заключалось отчаяние коммерческого директора Семенова, что никаких законов для уголовного отребья не существует. Взять хотя бы балашихинских «качков». Как бизнес пошел в гору, они начали отпугивать выгодных торговых партнеров. Что делать? Надо «искать консенсус». Каждый из членов банды получил иномарку. Бесплатно, разумеется. Оказалось, мало. Главарь их Петрик загнул процент от продажи партии машин. Мало! Стали бессовестно пользоваться ремонтной базой фирмы. Мало!! Загоняли в автопарк краденые автомашины. И этого — мало, мало, мало!

Ну, что делать? Тут хоть в петлю. Коммерческий директор, хотя и считался знатоком уголовной среды, носил кличку «Рэмбо», а по преступной «табели о рангах» был простым фраером и против балашихинских бандитов пикнуть не смел.

А Петрик, известный в Балашихе своей жестокостью, кажется, охмелел от безнаказанности. До ареста Петрика в 1989 году его «мазутка» (банда) буквально терроризировала Зеленоград и Химки; добралась даже до Кирова, Астрахани!

Случилось так, что капитану Малышеву тоже довелось «познакомиться» с этой публикой. Малышев тогда вернулся из Афганистана, где действовал в составе спецчасти. На время так называемого карантина его поместили в расположение одного лесного объекта под Балашихой, который местные жители называют «школой шпионов». Понятно, что, умирая от карантинной скуки. офицеры-разведчики частенько приходили поужинать и отдохнуть в ресторан «Радуга». А там как раз и обосновалась, если можно так выразиться, штаб-квартира Петрика и его «мазутки».

Ну, приходит, значит, Малышев в ресторан. В штатском, конечно. Сделал заказ. Все чинно-вежливо. Галстучек поправляет, оглядывается с интересом. Какая, мол, такая обстановка в гражданском обществе. А он, надо сказать, карабкаясь по афганским горам, не то чтобы одичал, а маленько отвык от цивилизации. Ну и, конечно, ему хочется культурной обстановки. Чтобы струнный оркестр исполнял какое-нибудь там каприччио. Чтобы дамам ручки целовали. А тут смотрит и ничего понять не может. Пошлые визги вконец распоясавшихся юнцов, предельно наглые приставания к женщинам, громкий дележ огромных денег за ресторанным столом. Да много чего.

А у Малышева нервная система тогда была маленько расшатана. Подходит он, значит, к особо крутой с виду компании и по батарее бутылок с различным пойлом выпускает целую обойму из трофейного кольта. Потом некоторое время было слышно, как жидкость из разлетевшихся бутылок стекает со стола на пол. А больше ничего не было слышно. Вообще — ничего.

— Вопросы есть? — спрашивает Малышев.

Как говорится, «молчанье было ей ответом».

«Мазутку» — как ветром сдуло. Перебралась в ресторан «Пахра» и гужевала там до того дня, пока ее не разгромил местный уголовный розыск.

А Петрика в зоне короновали в качестве вора в законе. И не кто-нибудь, а сам Япончик. Что называется, и на вора бывает проруха.

Отбыв срок, Петрик вернулся в Балашиху с полномочиями и «ксивами» от Япончика. С той же кровожадностью. С той же алчностью. И — под прикрытием сана вора в законе.

А на ту пору многострадального коммерческого директора «Интерформулы» Анатолия Семенова судьба свела в одном казино с «правильным» авторитетом Глобусом. И потом они не раз встречались. Естественно, и о мытарствах Семенова толковали по душам.

— Ну, что хочешь бери,— взмолился однажды Семенов.— Вечным твоим должником буду! Избавь меня только от этой гниды Петрика.

— Тут спешить—людей смешить,—рассудительно ответил Глобус.— Надо кое с кем посоветоваться.

А следует заметить, что о бесчинствах Петрика другие московские воры в законе были уже наслышаны. И им этот беспредел никак «не климатил». Что значит беспрестанно наезжать на «чистых» коммерсантов—тех, которые ни в какой уголовщине не замешаны? Это дергать «ментовку» за хвост. Какой бы она ни была, но ведь может и взъерепениться. МВД возьмет и, как в 80-е годы, переведет стрелки на воров в законе. Повесит на них всех собак за разгул преступности. Ну и кому это надо?

Решили Петрика остепенить по-дружески. «Крестный отец» Петрика Япончик к тому времени уже обосновался в США. На правах «родского» был Рафик Ереванский, Сво. Он и пригласил Петрика на встречу. Тот же, опасаясь, что с него снимут корону вора, «ударят по ушам», в грубых выражениях отказался от встречи и решил перехватить инициативу. Его «шестерки» подбросили в номер гостиницы «Минск», в котором проживал Сво, автомат «Узи», а затем «стукнули» насчет оружия МВД. «Операция» прошла успешно. В гостиничный номер нагрянула опергруппа МВД, естественно, нашла автомат, и Сво арестовали. Чуть позже он скончался в следственном изоляторе при загадочных обстоятельствах.

Но еще до этой загадочной смерти люди Петрика расправились с Глобусом. Наемный убийца снайперским выстрелом сразил его наповал. А затем был расстрелян из пистолета Макарова и Анатолий Семенов.

Петрика ищут. Есть все основания полагать, что он подался в США. Похоже, российские бандиты становятся ходовым товаром за океаном.

УБИТЬ БАНКИРА

Ранний июльский вечер. Знакомая дача. Те же и третий. Это осанистый господин, которого, если судить по выражению лица, жизнь явно не радует. Выясняется, что мрачный господин — крупный финансист, председатель правления известного коммерческого банка.

— Прочти это,— сказал старик, передавая Малышеву листки с ксерокопированным текстом.— Открытое письмо банкиров к властям. Завтра оно появится в прессе.

«Деловые круги России обеспокоены вспышкой насилия со стороны криминальных структур.

За последнее время в Москве, Санкт-Петербурге и Екатеринбурге произошло более десяти заказных убийств руководителей коммерческих банков. Последней жертвой стал управляющий санкт-петербургским филиалом «Инкомбанка».

Пытаясь включить в свои сферы влияния коммерческие банки, преступники перешли к откровенной физической расправе с теми, кто не поддался на их угрозы и подкуп. Первыми ощутили криминальное давление на себе мелкие и средние банки, теперь пытаются запугать и представителей крупнейших российских банков. Служащих берут в заложники, покушаются на жизнь их близких. Что касается правоохранительных органов, то, оправдывая свое бессилие, они пытаются объяснить совершенные преступления выяснением отношений коммерческих структур между собой.

Создалась ситуация, когда все общество и новые финансовые предпринимательские институты, как его составная часть, оказались под прицелом хорошо организованных, оснащенных современными техническими средствами бандитов.

В связи с этим мы призываем Вас незамедлительно использовать всю полноту власти, все имеющиеся средства, чтобы не допустить превращения страны в вотчину преступных группировок. Под угрозу ставится сама идея обретения Россией статуса правового государства.

Поддерживая все начинания Президента и исполнительной власти, направленные на стабилизацию в обществе и сохранение демократических преобразований в России, мы готовы принять участие в их реализации.

Надеемся, что наше обращение не останется без внимания Президента России, что государственные правоохранительные органы приложат все усилия для защиты жизни, чести и достоинства россиян.

С. Егоров, президент Ассоциации российских банков,

А. Смоленский, президент банка «Столичный»,

В. Гусинский, президент «МОСТ-Банка»,

М. Ходорковский, председатель правления банка «Менатеп»,

Г. Тосунян, президент «Технобанка».

В. Неверов, председатель совета директоров московского банка «Гермес-Центр»,

В. Якунин, президент, председатель правления «Токобанка».

— Что скажешь? — спросил старик, заметив, что Малышев поднял глаза от бумаги.

Капитан пожал плечами:

— Криком делу не поможешь. Даже если это крик души.

— Ты хочешь сказать...

— Я хочу сказать, что польза от этого обращения будет практически равна нулю.

— Интересно,— подал голос банкир.

— Интересно или нет, а нужно не требовать от властей защиты, а самим предлагать обоснованный и материально оправданный план действий. Ведь вам жить. А соответствующие государственные инстанции могут быть только исполнителями вашего заказа. А то получается, что вступили в рынок, а психология осталась прежняя, иждивенческая. Дядя придет, дядя защитит.

— Где вы усматриваете иждивенчество? Мы тратим огромные средства на создание собственных силовых структур.

— А это другая крайность. Частная силовая структура при коммерческом деле — палка о двух концах. Сколько уже было случаев, когда крутая, хорошо вооруженная охрана становилась опасной прежде всего для самого хозяина.

— И что вы предлагаете?

— Необходимо заинтересовать профессионалов. Вот конкретный пример. После стычки с уголовным авторитетом у главы фирмы «Аргон» начались большие неприятности. Сначала у него угнали три легковые автомашины, а затем потребовали выплачивать ежемесячную мзду в размере полутора миллионов рублей. В противном случае грозили дотла сжечь принадлежащие фирме склады. И можете не сомневаться, бандиты привели бы свою угрозу в исполнение.

— Что же их остановило?

— Поработали профессионалы. Они сделали простой ход. Покопались в своих бумагах и нашли канал влияния на «обиженного» уголовного авторитета. Через третьих лиц ему порекомендовали оставить в покое «Аргон». В результате фирма продолжает процветать, склады целехоньки, хотя там самое минимальное количество сторожей. Заметьте, что это умение профессионалов контролировать уголовную среду государством никак не оплачивается. А раз так, вы можете писать Президенту страны хоть по десять писем на дню, толку будет чуть.

— Я согласен, что личная заинтересованность профессионалов защищать собственника должна оплачиваться.

— Выделяемые средства должны идти целевым порядком конкретным подразделениям, конкретным сотрудникам за выполнение конкретной задачи. Я убежден, что страховать можно от всего — рэкета, ограблений, заказных убийств...

— Страховать от заказных убийств?

— Почему бы нет? В Японии, например, такой страховой институт существует. Если владелец магазина или фирмы желает обезопасить себя от рэкета, разбоя, организованных хищений, он покупает за большие деньги «герб» так называемой «хорошей мафии». Речь идет о тех якудзе, по-нашему ворах в законе, чьи братства официально зарегистрированы в полиции, сотрудничают с ней и берут обязательство не нарушать закон. Они имеют необыкновенно широкие возможности, чтобы влиять на уголовную среду и контролировать ее.

— Вы считаете, нам есть здесь чему поучиться?

— Конечно! Такой же общественный институт может быть создан и у нас из числа опытных сыскарей МВД и МБ. Но необходима и промежуточная структура, представляющая интересы обеих сторон — криминальной среды и деловых кругов. Вы понимаете, о чем я говорю?

— Признаться, не очень.

— Нужна разведка, полная информация о том, где и против кого придется действовать. В криминальную же среду милиция не допускается. Зато среди «ментов» у криминальной среды есть свои люди. Теперь посудите сами, в каком мы все находимся положении, когда встает вопрос о защите капитала или собственной жизни.

— И что же вы предлагаете?

— Извините, но вам остается одно: идти на поклон к тем, кто способен контролировать степень активности уголовных группировок. Я имею в виду воров в законе. Найдете с ними общий язык, ваши личные дела поправятся и вы можете быть уверены в своей безопасности. А если договориться не удастся, придется создавать свою криминальную группировку и содержать ее волонтеров. Но тогда уж лучше восстановить коммунистический режим.

— А если перевести наш разговор в практическую плоскость...

— Я могу свести вас с некоторыми крупными ворами в законе. Послушайте их.

Финансист скосил глаза на старика. Тот ответил едва заметным кивком.

— Что ж, давайте попробуем,— согласился банкир.

Малышев дотянулся до телефонного аппарата и набрал нужный номер. На другом конце линии трубку подняли после первого же гудка.

— Вас слушают, говорите.

— Мне нужен Анзор.

— А кто его спрашивает?

— Максим Андреевич.

После короткой паузы в трубке раздался хрипловатый голос с легким южным акцентом. После обмена ничего не значащими фразами собеседники перешли к делу и быстро договорились о встрече.

— Мне раньше никогда не приходилось встречаться с ворами в законе,— поеживаясь, проговорил финансист, когда Малышев, закончив разговор, положил трубку.

— Эта встреча вас ни к чему не обязывает. Подумайте лучше о том, чтобы ваши предложения не были с криминальным душком.

* * *

Шурша протекторами шин, черный «опель» остановился у входа в небольшой ресторан «Гамбург». Из машины вышли двое мужчин в долгополых пальто реглан и проследовали в ресторан. В вестибюле их встретил молодой человек, который предложил снять пальто и пройти в зал.

За столиком в самом углу зала находились двое. При появлении вновь прибывших один из мужчин встал и направился навстречу вошедшим. Уселись за столик. Обменялись сдержанными приветствиями. От выпивки гости отказались, заказав себе сок и легкую закуску.

Того, кто казался старше, звали Анзор, его спутника — Ашот.

К ворам в законе принято обращаться по воровскому имени, это своего рода паспорт. Фамилии же их, если можно так выразиться, утрачивают смысловую нагрузку, тем более что они подучетны в органах МВД.

Гости, выдержав паузу после приветствий и знакомства, сразу приступили к делу.

— Мы слушаем, какие есть проблемы? — спросил Анзор.

— Видите ли,— сказал финансист,— открывается новый филиал банка в районе. И я как учредитель очень заинтересован в том, чтобы избежать возможных конфликтов с местной группировкой.

Анзор кивнул.

— Недавно я беседовал с одним генералом из МВД,— негромко заговорил он.— Похоже, в МВД хотели бы с нашей помощью остановить беспредел молодняка. Но мы не собираемся вести разборку с теми, кто сел на банки и кому уже платят. Есть другие, по нашему представлению, вполне действенные меры. Например, мы попросили того генерала отдать нам несколько тюрем и сделать из них частные. Мы бы гарантировали в этих тюрьмах полный порядок и отказ от всякого насилия. Охрана может быть государственная. Разве это не остановит беспредел?

— Конечно, есть воры,— продолжал Анзор,— которые занимаются тем, что стравливают молодых и извлекают из этого выгоду. Но такие встречаются редко. Все мы поддерживаем друг друга в Москве. А милиция пытается нас разобщить и при этом применяет грязные методы. Стараясь найти предлог для ареста, пытаются подсунуть то наркотики, то оружие. Мы дали такой наказ, чтобы ментовка сама отказалась от беспредела. Пусть все будет по закону. Тогда и ошалевший молодняк подберем под себя, и приструним тех, кто не понимает текущего момента.

А что касается коммерсантов, то они сами виноваты. Залезут по уши в обязаловку, а после бегут к нам за помощью. А уже поздно: машинка стрижет денежки и не разбирает, кто вор, а кто фраер. На Москве есть серьезные ребята не из воров в законе. Имеют свои банки и предприятия. Они нашли свое место в бизнесе и никому не платят. А почему? Имеют свой устав и чтут наш воровской кодекс. Но они не всегда правы бывают, случается, направляют бакланов, которых подкармливают, на тех, кто им мешает в бизнесе. С ворами в законе они ничего общего не имеют.

Если хотите с нами серьезно работать,— подвел итог встречи Анзор,— чтобы все было в полном ажуре, берите в дирекцию банка нашего человека. Он будет присутствовать на всех переговорах и должен знать тех, кто берет кредит, чтобы потом у вас не было головной боли из-за неплательщиков. Наш человек не будет вести никакой бумажной работы и участвовать в процедурных вопросах сделок. Знать бухгалтерию ему также не надо. Гарантия надежности — это взаимное уважение и устная договоренность. Никаких финансовых обязательств. Решение остается за вами.

Столь откровенное предложение привело в растерянность банкира. После отъезда гостей он не находил себе места, его терзали сомнения. Анзор и его «семья» могут проникнуть в святая святых банковских операций и диктовать свою волю дирекции. Гарантия надежности также непонятна и сомнительна. Что значит взаимное уважение и устная договоренность?

— Я подумаю,— сказал он Малышеву. Он думал несколько месяцев. И позвонил 4 ноября 1993 года — как раз в те минуты, когда Малышев слушал по телевидению сообщение об убийстве председателя правления Россельхозбанка Н. Лихачева.

ВМЕСТО ЗАКЛЮЧЕНИЯ

Где бы «страна победившего социализма» ни отстаивала свои интересы, там всегда незримо действовала служба государственной безопасности, оставляя свой след в разбухших литерных делах и делах оперативного учета под грифом секретности. Стремясь к организации полного контроля над всеми сферами жизни общества, государственная безопасность, конечно, не могла не обратить самого пристального внимания на «социально близких». По выцветшим от времени документам, бережно хранящимся в простеньких папках, можно проследить, как много ВЧК делала для консолидации уголовной среды в местах лишения свободы. Однако, выигрывая тактически в контроле над инакомыслящими, спецслужба большевистской России в конечном счете проиграла стратегически, способствовав появлению страшного уголовного мутанта — современного профессионального преступного мира.

И сегодня уже это чудовище готовится взять под свой жесткий контроль все институты общества. И в отличие от «мирового пролетариата», которым бредили кремлевские авантюристы, преступные кланы всех стран стремятся к быстрейшему объединению на деле. Подобный ход событий грозит глобальной катастрофой мировому сообществу.

Думается, что государственная безопасность новой демократической России должна искупить свой «исторический грех» и поставить предел организованной преступности. Это не только острейшая национальная задача, но и долг перед мировой цивилизацией.

ПРИЛОЖЕНИЕ

ОСОБЕННОСТИ ПОВЕДЕНИЯ ВОРОВ В ЗАКОНЕ

Вор в законе — авторитет из уголовной среды, коллегиально признанный другими лидерами преступного мира и прошедший процедуру «коронования».

«Коронование» — формализованная процедура принятия уголовника в сообщество воров в законе, наделения его воровскими полномочиями. «Коронование» осуществляют как минимум два вора в законе, которые обсуждают в непринужденной беседе криминальный путь «кандидата», вспоминают, чем он знаменит в преступной среде, убеждаются, что он предан воровским традициям, умеет сплотить уголовные элементы, правильно и «справедливо» разрешает конфликты, пользуется абсолютным авторитетом среди единомышленников и способен организовать источники получения преступных доходов. При обсуждении выясняется главное — не был ли «кандидат» замечен в связях с правоохранительными органами, не работал ли в государственных учреждениях. Затем соединяются кисти рук и в произвольной форме произносится клятва верности преступному миру, после чего принятый в сообщество получает кличку. Сообщения о «коронации» рассылаются воровской почтой по территории страны.

Какие же особенности отличают поведение воров в законе?

1. Вор в законе должен жить вне интересов общества, не иметь в отношении его никаких обязательств, не поддерживать социальные связи, не участвовать в деятельности общественных институтов, не заботиться об их благе и укреплении.

Благодаря такому подходу вор чувствует себя независимым и пользуется абсолютным авторитетом в уголовной среде.

2. Отказ служить государственной власти при любом политическом режиме.

Поэтому вор в законе не может сознательно сотрудничать со спецслужбами — как «своей», так и зарубежными. Оказавшись в вынужденном контакте на основе зависимости, он всегда проводит линию двойственного поведения, стремясь в любом случае иметь преступный доход.

Этим определяется «интернационализм» воров в законе.

3. Вор в законе должен все делать чужими руками, не участвовать непосредственно в преступных акциях, чтобы не скомпрометировать «благородство» воровской идеи. Вот почему воры в законе всегда окружены контингентом зависимых исполнителей из уголовной среды.

4. Высокая степень приспособляемости: воры в законе быстро меняют тактику в зависимости от обстоятельств.

Например, создание в Пермской области исправительно-трудовой колонии строгого режима, специально предназначенной для воспитательной работы с ворами в законе, привело к тому, что авторитеты, стремясь перевестись в обычную зону, без особого нажима со стороны администрации дают подписку об отказе от уголовных традиций и сотрудничестве с органами МВД; в преступном мире такая «линия» воспринимается как тактическая уловка.

5. Жестокость и расправа с отступниками.

Отказ от воровского закона равносилен предательству, и кара одна — смерть.

6. Взаимная честность и поддержка среди воров в законе, которые все равны между собой.

Те, кто не соблюдают это положение, подвергаются строгим наказаниям. Поэтому воры в законе избегают между собой конфликтов, стремятся не подрывать авторитет своих единомышленников.

7. «Героизм» вора в законе на людях. Он должен быть смел, жесток, уверен в себе. Струсивший, проявивший малодушие авторитет лишается полномочий.

8. Вор в законе расчетлив, поскольку находится в непрерывном конфликте с окружающей средой.

Авторитету необходим постоянный приток информации об окружающей обстановке. Иначе он утрачивает контроль за событиями, происходящими в уголовной среде, а следом — влияние в сфере его деятельности.

9. Внешнее пренебрежение всякой собственностью.

Вор в законе не обладает правом собственности, но может пользоваться собственностью, принадлежащей уголовным элементам, в пределах своего желания.

О РЭКЕТИРАХ

Следует раз и навсегда запомнить, что правоохранительные органы никогда не будут в состоянии эффективно защищать от преступности. Это явление живет в самом народе и настолько обширно, что контроль над ним возможен только в условиях казарменного коммунизма. И чем скорее общество освободится от потребительской психологии, что кто-то придет и защитит, тем меньше будет жертв.

Думается, не лишне знать логотипы поведения на тот случай, если судьба «подарит» встречу с рэкетирами. Прежде всего, не позволяйте развиться своему испугу. В вашу дверь постучались под определенным предлогом. Вступите в беседу и постарайтесь показать, что этот предлог несостоятелен. Угрозы семье, детям перенесите мужественно. Помните, что угроза еще не исполнение. Не паникуйте. Ведь у рэкетиров обязательно есть слабые места, которые не составляет большого труда узнать. Помните, рэкет — это низший уровень криминальной специальности, где действуют только стаей и отсутствует индивидуальное мастерство, стойкость и мужество переносить лишения и физическую боль. Серьезные уголовники, рецидивисты брезгуют рэкетом и презирают рэкетиров — сытую и еще не битую молодежь (но что касается последнего, то этот пробел опыта, как вы понимаете, в принципе очень легко устраним).

Нижний уровень защиты от рэкета — надежная, преданная охрана офиса, строгое соблюдение коммерческой тайны. Более эффективный путь защиты — создание системы коллективной безопасности предпринимателей, объединившихся в «товарищество» или элитарный клуб.

Не спешите давать согласие на выдвигаемые рэкетирами требования, раз вы чувствуете, что никому и ничего не должны. Если же вы легко поддадитесь на вымогательства, вас будут «доить» постоянно, пока окончательно не разорят. Взвесив все, постарайтесь найти каким-либо образом доверительного сотрудника из милиции или органов госбезопасности. Если не слишком далеко находятся зоны, поищите выходы на авторитетов преступного мира. Вам никогда не откажут в помощи, коли за вами нет никакой вины. И ни в коем случае не лгите, навлечете на себя беду.

Не ищите также защиты, чтобы не платить долги или не выполнять взятые по договору обязательства: поставите себя в безвыходное положение. Не подводите тех, к кому обращаетесь за содействием, иначе придется платить вдвойне.

Занимаясь бизнесом, будьте разборчивы в связях. Не привлекайте к своим делам никого без гарантированной рекомендации знающих людей.

И последнее. Если вы долгое время выплачивали дань рэкетирам и они стали вас разорять, поздно искать поддержки в более могущественных кругах. Свертывайте дело.

ЛИДЕРЫ ПРЕСТУПНОГО МИРА*

1. Амоев Анзор Джамаевич, 1960 года рождения, кличка «Вазо», наркоман.

2. Анкудинов Владимир Андреевич, 1947 года рождения, кличка «Хозяйка», болен туберкулезом.

3. Айбян Арам Броевич, 1962 года рождения, кличка «Чизо», наркоман.

4. Арустумян Борис Федорович, 1957 года рождения, клички «Боря Бакинский» и «Бока».

5. Аршокян Арутюн Людвигович, 1959 года рождения, кличка «Арутик».

6. Асатурян Гачик Амаякович, 1959 года рождения, кличка «Гачик».

7. Апаев Сосланбек Николаевич, 1937 года рождения, клички «Косор» и «Мексиканец», наркоман, конец срока 5.09.1995 г., вид режима — особый.

8. Аннамухамедов Хаджа, 1956 года рождения, кличка «Хаджа», конец срока 28.06.1997 г., вид режима — строгий.

9. Алания Важа Викторович, 1938 года рождения, кличка «Качо».

10. Агафонов Александр Викторович, 1947 года рождения, кличка «Тимоха».

11. Амилян Эдвард Григорьевич, 1926 года рождения, кличка «Москва».

12. Агроа Роман Иванович, 1964 года рождения, кличка «Рома Абхазский».

13. Аракелянц Артем Степанович, 1933 года рождения, кличка «Артем Красноводский».

14. Алиев Рафик Раши-оглы, кличка «Рафик», конец срока 22.10. 1996 г., вид режима — особый.

15. Абесадзе Николай Иванович, 1966 года рождения, кличка «Нукрий».

---

* Публикуется впервые. Это максимально полный реестр воров в законе, которого до сих пор не было в распоряжении оперработников правоохранительных органов.

16. Арутюнян Игорь Юрьевич, 1962 года рождения, кличка «Игорь Бакинский».

17. Амиров Юрий Джафарович, 1955 года рождения, кличка «Амир».

18. Ахмедов Тофик Алиевич, 1951 года рождения.

19. Баркалая Важа Элисбарович, 1937 года рождения, кличка «Важа», инвалид второй группы.

20. Барцоа Рауль Зосимович, 1966 года рождения, в зоне авторитета не имел.

21. Борисов Владимир Андреевич, 1942 года рождения, кличка «Веревка».

22. Бурдеиный Александр Серафимович, 1951 года рождения, кличка «Казачок».

23. Бухникашвили Реваз Владимирович, 1952 года рождения, кличка «Пецо», конец срока 15.10.2000 г., лидер грузинской группировки в тюрьме г. Владимира.

24. Бурчуладзе Мурад Улиевич, 1956 года рождения, кличка «Мурашка».

25. Босария Гемо Арсентьевич, 1954 года рождения, кличка «Миланец», конец срока 13.03.1995 г., вид режима — строгий.

26. Биганишвили Важа Арчилович, 1956 года рождения, кличка «Важа».

27. Баштапов Валерий Аскарович, 1956 года рождения, кличка «Валера Татарин», конец срока 9.06.1996 г., вид режима — особый.

28. Безногов Александр Сергеевич, кличка «Огонек».

29. Барасадзе Гиви Александрович, 1928 года рождения, кличка «Гиви» и «Дедушка».

30. Багдасарян Юрий Григорьевич, 1954 года рождения, болен туберкулезом.

31. Баргесян Рубик Индроникович, 1950 года рождения, кличка «Рубо».

32. Баджелидзе Анзор Давидович, 1941 года рождения, кличка «Анзор».

33. Бузулуцкий Василий Иосифович, 1932 года рождения.

34. Балахмедов Али Мамед-оглы, 1951 года рождения, кличка «Яша Бакинский».

35. Бучукури Томаз Матвеевич, 1962 года рождения, кличка «Томаз».

36. Баламов Гурам Михайлович, 1951 года рождения, кличка «Гурам».

37. Барсанукаев Алис Доккаевич, 1959 года рождения, кличка «Алис».

38. Барбышев Владимир Григорьевич, 1937 года рождения, кличка «Лысак», конец срока 3.06.1997 г., вид режима — особый.

39. Барсагяп Николь Тигранович, 1949 года рождения, кличка «Николь».

40. Биткаш Гиви Фадюмович, 1937 года рождения, конец срока 2.10.1995 г., режим — особый.

41. Варданян Эдуард Мигратович, 1945 года рождения, клички «Эдик» и «Васо».

42. Гвиджилия Гиви Георгиевич, 1951 года рождения, кличка «Гиви-Нос», конец срока 2.09.2000 г., вид режима — строгий, по тюрьме г. Владимира «вором» не признан.

43. Гогуа Зураб Ильич, 1949 года рождения, кличка «Зурик».

44. Голубков Иван Ильич, 1942 года рождения.

45. Гвинцадзе Резо Мурзабекович, 1952 года рождения, клика «Резо».

46. Гоголашвили Теймураз Ревазович, 1957 года рождения, кличка «Тимур».

47. Гегечкори Амиран Александрович, 1953 года рождения, кличка «Амиран», наркоман, конец срока 25.06.1995 г., вид режима — строгий.

48. Гафаров Сергей Алиевич, 1956 года рождения, кличка «Серый», совершил побег из ЛТП для наркоманов.

49. Гарбузов Виктор Алексеевич, 1954 года рождения, клички «Новочеркасский» и «Курский».

50. Габуния Тимур Агабович, 1954 года рождения, кличка «Тимур».

51. Гайсанов Реваз Валерьянович, 1942 года рождения, клички «Князь» и «Руслан», наркоман.

52. Глонти Реваз Валерьянович, 1942 года рождения, кличка «Казбек».

53. Гудушаури Паат Валерьянович, 1962 года рождения, кличка «Скот».

54. Гадаборшев Асланбек Султанович, 1957 года рождения, кличка «Аслан».

55. Гваджалия Гурам Михайлович, 1955 года рождения, кличка «Гурам Тбилисский».

56. Горгишели Паат Николаевич, 1959 года рождения, кличка «Паат Маленький».

57. Глонти Георгий Васильевич, 1960 года рождения, кличка «Кокило».

58. Гасымов Закир Ага Гусейн-оглы, 1958 года рождения, кличка «Закир».

59. Гасанов Натик Мирза-оглы, 1955 года рождения, кличка «Натик».

60. Гусейнов Валех Гаджибала-оглы, 1951 года рождения, кличка «Валера Бакинский».

61. Гулария Руслан Леонидович, 1965 года рождения, кличка «Руслан Седой».

62. Грозин Константин Ильич, 1925 года рождения, кличка «Коста Гродненский».

63. Джангвеладзе Мераб Георгиевич, 1955 года рождения, кличка «Мераб».

64. Давитулиани Акакий Ревазович, 1953 года рождения, кличка «Кокула», наркоман.

65. Джанкарашвили Ушанги Иванович, 1946 года рождения, кличка «Гиви».

66. Джингвелашвили Нодари Демурович, 1958 года рождения, конец срока 29.02.1995 г., вид режима — строгий.

67. Джахая Теймураз Климентьевич, 1950 года рождения, кличка «Тимур», развенчан в тюрьме г. Покрова.

68. Джанашия Валерьян Борисович, 1957 года рождения, кличка «Вальтер».

69. Дмитриев Евгений Владимирович, 1956 года

рождения, кличка «Женя-Азиат», конец срока 1.12.1999 г., вид режима — особый.

70. Расоян Худо Кароевич, 1953 года рождения, кличка «Худо».

71. Гогалашвили Олег Павлович, 1959 года рождения.

72. Григорьев Евгений Иванович, 1954 года рождения, кличка «Жмек».

73. Городейчик Григорий Владимирович, 1950 года рождения, кличка «Гриша Бакинский».

74. Григорян Артур Сергеевич, 1961 года рождения, кличка «Артур», конец срока 25.12.1995 г., вид режима — строгий.

75. Гулуасян Размик Багратович, 1953 года рождения, кличка «Багратович».

76. Гогиашвили Нодари Эстатович, 1935 года рождения, клички «Нодар» и «Цаула», инвалид второй группы.

77. Гранин Константин Леонидович, 1967 года рождения, кличка «Кот».

78. Думоев Тенгиз Михайлович, 1955 года рождения.

79. Донцов Анатолий Степанович, 1936 года рождения.

80. Джейраношвили Виталий Дианозович, 1955 года рождения, кличка «Виталик».

81. Егоров Александр Юрьевич, 1961 года рождения, кличка «Егор».

82. Елканишвили Теймураз Шалвович, 1963 года рождения, кличка «Мурзик».

83. Елерджия Георгий Сандроевич, 1960 года рождения, кличка «Гия».

84. Ермолин Владимир Иванович, 1931 года рождения, кличка «Черный».

85. Захаров Александр Александрович, 1951 года рождения, кличка «Захар».

86. Зенцов Евгений Афанасьевич, 1951 года рождения, клички «Молдован» и «Брянский».

87. Загородников Александр Васильевич, 1956 года рождения, кличка «Хряк», наркоман.

88. Иваньков Вячеслав Кириллович, 1940 года рождения, кличка «Япончик», конец срока 4.11.1995 г., вид режима — строгий.

89. Июбидзе Ростан Сергеевич, 1959 года рождения, кличка «Рони-Малыш».

90. Исоян Мураз Бакриевич, 1958 года рождения, кличка «Абулик».

91. Илларионов Юрий Юрьевич, 1965 года рождения, кличка «Ларик».

92. Кецбая Заза Карлович, 1954 года рождения.

93. Исмаилов Назим Муса-оглы, 1953 года рождения, кличка «Назим».

94. Кварацхелия Отари Джеветович, 1963 года рождения, кличка «Кимо», конец срока 8.06.1994 г., вид режима — строгий.

95. Колоев Мурат Борисович, 1962 года рождения, клички «Мурат», «Мурик», конец срока 5.11.1996 г., вид режима — строгий.

96. Кусаинов Николай Николаевич, кличка «Панкрат».

97. Кварацхелия Роланд Леонтьевич, 1961 года рождения, кличка «Руссо».

98. Кадамшоев Кадамшо Уфатшоевич, 1963 года рождения, кличка «Памир», конец срока 20.04.1994 г., вид режима — усиленный.

99. Келишян Ефрем Гургенович, 1958 года рождения.

100. Карабулат Матвей Демьянович, 1960 года рождения, кличка «Матвей».

101. Киселев Валерий Геннадьевич, 1963 года рождения.

102. Карапетян Самвел Грачикович, 1959 года рождения, кличка «Самвел».

103. Колбая Макуку Борисович, 1964 года рождения.

104. Кудрявцев Владимир Петрович, 1932 года рождения, кличка «Одесса».

105. Кациашвили Давид Гурамович, 1960 года рождения, клички «Дато» и «Дато-Рыжий».

106. Кориаули Амиран Александрович, 1956 года рождения, кличка «Бесик».

107. Кравцов Владимир Александрович, 1949 года рождения, кличка «Кравец», конец срока 9.05.1995 г., вид режима — особый.

108. Кутателадзе Сергей Николаевич, 1949 года рождения, кличка «Бойко».

109. Каросанидзе Демури Шалвович, 1941 года рождения.

110. Красиловский Борис Михайлович, 1952 года рождения, кличка «Жид».

111. Козырев Виталий Юрьевич, 1957 года рождения, кличка «Виталик Осетин».

112. Кобалия Тенгиз Аутаевич, 1962 года рождения, кличка «Тенгиз».

113. Кучуберия Тенгиз Арчилович, 1957 года рождения, кличка «Тенгиз».

114. Катерашвили Давид Сергеевич, 1954 года рождения, кличка «Дато».

115. Качарава Тариел Алексеевич, 1963 года рождения, кличка «Тариел».

116. Ковтунов Владимир Иванович, 1940 года рождения, кличка «Ведик».

117. Кветия Гаез Шамилович, 1954 года рождения, кличка «Гаез», конец срока 30.06.1995 г., вид режима — строгий.

118. Корочкин Виктор Васильевич, 1953 года рождения, кличка «Никольский».

119. Коростылев Виктор Николаевич, 1956 года рождения, кличка «Коростыль».

120. Кукуян Сурен Анушванович, 1936 года рождения, кличка «Серый».

121. Кочинов Владимир Викторович, 1947 года рождения, кличка «Пацо».

122. Кварая Лаврентий Леонтьевич, 1950 года рождения, кличка «Ленчик».

123. Кекелия Сосо Дмитриевич, 1956 года рождения, кличка «Сосо», конец срока 13.03.1995 г., вид режима — строгий.

124. Кесуладзе Яков Мирчкович, 1951 года рождения, кличка «Ролан».

125. Куцниашвили Автандил Тариелович, кличка «Авто».

126. Кошелев Валентин Николаевич, 1941 года рождения, кличка «Кошель».

127. Кочладзе Борис Ермолаевич, 1951 года рождения, кличка «Роланд».

128. Ломтадзе Годерзи Ираклиевич, 1960 года рождения, кличка «Гоча».

129. Ломашвили Амиран Вахтангович, 1954 года рождения, кличка «Амиран».

130. Ломидзе Автондил Шотаевич, 1948 года рождения, кличка «Авто».

131. Лядов Юрий Станиславович, кличка «Горбатый».

132. Мирзоев Айваз Фарамазович, 1940 года рождения, кличка «Чипия».

133. Микеладзе Джемал Варламович, 1941 года рождения, кличка «Арсен», наркоман.

134. Мамутов Кенгесбай, 1942 года рождения, кличка «Касым».

135. Месхишвили Теймураз Николаевич, 1961 года рождения, кличка «Томаз».

136. Мамедов Мирон Джамоевич, 1959 года рождения, кличка «Мирон».

137. Меркушев Иван Георгиевич, 1927 года рождения, клички «Дядя Ваня» и «Москва».

138. Майсурадзе Давид Нодарович, 1960 года рождения, кличка «Дато».

139. Мурадян Джемал Камаевич, 1963 года рождения, кличка «Джемал», конец срока 22.05.1995 г., вид режима — усиленный.

140. Муладжанов Хайка, 1931 года рождения, кличка «Хайка».

141. Маглаперидзе Мираб Шотаевич, 1954 года рождения, кличка «Мираб».

142. Мамедов Вахид Раджаб-оглы, 1950 года рождения, кличка «Вахид».

143. Мартиросян Владимир Матевосович, кличка «Ветлаг Вова».

144. Мамедов Абдулла Хафиз-оглы, 1959 года рождения, кличка «Абдуллик».

145. Мерабишвили Анзор Иосифович, 1936 года рождения, клички «Анзор» и «Культя».

146. Маркарян Грант Нерсесович, 1932 года рождения, клички «Гамбел» и «Андик».

147. Мухтаров Икмет Мамедкули-оглы, 1956 года рождения, кличка «Икмет».

148. Межиев Важа Хасуевич, 1954 года рождения, кличка «Важа».

149. Матюнин Алексей Иванович, 1952 года рождения, кличка «Лесик».

150. Мехтиев Аладин Абас-оглы, 1956 года рождения, кличка «Аладин».

151. Микадзе Отари Отарович, 1950 года рождения, кличка «Чичхина».

152. Магуров Виктор Омарович, 1965 года рождения, кличка «Песик».

153. Мдивани Тенгиз Бежанович, 1956 года рождения, конец срока 3.08.2000 г.

154. Манташов Бичико Иосифович, 1931 года рождения, кличка «Бичико».

155. Манагалзе Михаил Аполлонович, 1947 года рождения, кличка «Михей», конец срока 5.05.1997 г., вид режима — особый.

156. Мумладзе Нодари Сергеевич, 1953 года рождения, клички «Рыжа», «Нодар».

157. Микаберидзе Вахтанг Суликоевич, 1961 года рождения, кличка «Ватул».

158. Маркаров Владислав Ишханович, 1945 года рождения, кличка «Цапля».

159. Мамедов Неймат Аллаверды-оглы, 1954 года рождения, кличка «Яша Бакинский».

160. Михайлов Виктор Васильевич, 1950 года рождения, кличка «Амбал».

161. Мегрелишвили Элизбар Давидович, 1951 года рождения.

162. Миминошвили Джансух Юрьевич, 1956 года рождения, кличка «Джано».

163. Михайлов Геннадий Александрович, 1960 года рождения, кличка «Соленый».

164. Мамотин Сергей Александрович, 1949 года рождения, кличка «Серега Мамота».

165. Мезюк Валерий Григорьевич, 1960 года рождения, кличка «Герой».

166. Мониава Василий Леванович, 1956 года рождения, кличка «Вася».

167. Мамацашвили Малхаз Иванович, 1957 года рождения.

168. Милорава Мурман Абесалович, 1961 года рождения, кличка «Мурман».

169. Мстоян Михаил Шалимович, 1948 года рождения.

170. Начгебия Гонели Тутушевич, 1961 года рождения, кличка «Гонели».

171. Нариманидзе Бадури Гурамович, 1959 года рождения, кличка «Бадур».

172. Надоян Давид Искарович, 1965 года рождения, кличка «Дато».

173. Ониани Тариел Гурамович, 1958 года рождения.

174. Орехов Виктор Петрович, 1937 года рождения, кличка «Орех».

175. Окроперидзе Томаз Михайлович, 1951 года рождения, кличка «Томаз», конец срока 10.04.2001 г., вид режима — особый.

176. Орлов Владимир Викторович, 1951 года рождения, кличка «Орел», конец срока 16.07.1994 г., вид режима — строгий.

177. Одишария Гурам Гуликоевич, 1959 года рождения, кличка «Буйя», конец срока 1.02.1996 г., вид режима — строгий.

178. Панчвидзе Давид Эддарович, 1959 года рождения, кличка «Давид».

179. Пахуридзе Давид Минаевич, 1937 года рождения, клички «Минога» и «Маяк».

180. Пипия Гога Арчилович, 1965 года рождения, кличка «Гога».

181. Поцхишвили Давид Гурамович, 1957 года рождения, кличка «Дато».

182. Першин Евгений Анатольевич, 1953 года рождения, кличка «Пешка», конец срока 13.09.1995 г.

183. Пилиди Матвей, клички «Матвей», «Грек».

184. Пааташвили Натан Амбросимович, 1945 года рождения, кличка «Натан».

185. Рязанцев Геннадий Михайлович, 1951 года рождения, кличка «Рязанец».

186. Решетняк Леонид Иванович, 1939 года рождения.

187. Расоян Князь Ханаович, 1956 года рождения.

188. Рухадзе Георгий Семенович, 1951 года рождения, кличка «Жора», конец срока 21.04.1994 г., вид режима — строгий.

189. Русидзе Дмитрий Шотаевич, 1964 года рождения.

190. Рогава Джони Михайлович, 1943 года рождения, кличка «Джони».

191. Рижамадзе Джемал Викторович, 1950 года рождения.

192. Рылов Николай Алексеевич, 1958 года рождения, кличка «Колька Ижевский».

193. Решетов Александр Геннадьевич.

194. Ромашвили Важа Романович, 1963 года рождения, кличка «Важа».

195. Ростомян Арутюн Саркисович, 1956 года рождения, кличка «Арут», конец срока 29.10.1994 г., вид режима — строгий.

196. Романов Павел Анатольевич, 1961 года рождения, кличка «Банзай».

197. Сичинава Тимур Бондоевич, 1961 года рождения, кличка «Тенгиз», конец срока 13.03.1995 г., вид режима — строгий.

198. Силагадзе Валерий Михайлович, 1956 года рождения, клички «Валера Сухумский» и «Красавчик».

199. Силич Степан Степанович, 1924 года рождения, кличка «Силич».

200. Степанян Ашот Артавазович, 1955 года рождения, кличка «Ашот».

201. Синатошвили Таймураз Гивиевич, 1956 года рождения, кличка «Мираб».

202. Стуруа Виктор Геронтьевич, 1948 года рождения, клички «Виктор» и «Бихти».

203. Стражников Павел Григорьевич, 1916 года рождения, клички «Стражник» и «Паша».

204. Саралидзе Георгий Георгиевич, 1958 года рождения, кличка «Гия».

205. Сидоренко Виктор Борисович, 1930 года рождения, кличка «Кукла».

206. Соколов Руслан Николаевич, 1951 года рождения, клички «Дока» и «Руслан».

207. Свинухов Леонид Александрович, 1944 года рождения, кличка «Ленчик Тряси Башка».

208. Столяров Геннадий Александрович, 1954 года рождения, конец срока 19.11.1994 г., вид режима — особый.

209. Сохадзе Николай Спиридонович, 1957 года рождения, кличка «Коки».

210. Саркиев Ильяс Абдурагимович, 1945 года рождения, кличка «Вовчик Сыра».

211. Сафарян Камо Рачикович, 1961 года рождения, кличка «Камо».

212. Семенов Валерий Борисович, 1956 года рождения, кличка «Семен».

213. Тер-Пагасян Раник Варданович, 1936 года рождения.

214. Тимурсултанов Увайс Абусултанович, 1957 года рождения.

215. Туркин Андрей Викторович, 1962 года рождения.

216. Тагиев Томази Хасанович, 1956 года рождения, кличка «Гаринский».

217. Талаквадзе Отари Татеевич, 1951 года рождения, кличка «Отари».

218. Тарба Валерий Владимирович, 1949 года рождения, кличка «Моторный», конец срока 14.08.1996 г., вид режима — особый.

219. Тихонов Сергей Иванович, 1957 года рождения, кличка «Тихон».

220. Твалчрелидзе Паат Фридонович, 1959 года рождения, кличка «Паат Маленький».

221. Тедиашвили Шалва Валикоевич, 1967 года рождения, кличка «Мамука», конец срока 20.05.1995 г., вид режима — строгий.

222. Терентьев Сергей Николаевич, 1954 года рождения, кличка «Богомаз».

223. Тахмазьян Виталий Николаевич, 1946 года рождения, клички «Папа» и «Хаз».

224. Табагуа Мираб Валикоевич, 1954 года рождения, кличка «Муха».

225. Тер-Саакян Рарушан Григорьевич, 1951 года рождения, кличка «Болгарин».

226. Учрехелидзе Роин Ноевич, 1952 года рождения, кличка «Роин».

227. Усоян Аслан Рашидович, 1937 года рождения, кличка «Хасан».

228. Фаризов Тенгиз Валентинович, 1953 года рождения, кличка «Трезор».

229. Хабибулин Фарид Кабирович, 1948 года рождения, кличка «Фарид Казанский», конец срока 24.02. 2002 г., вид режима — особый.

230. Хачапуридзе Тенгиз Александрович, 1957 года рождения, клички «Хачия», «Тенгиз Кутаисский», наркоман.

231. Хубашвили Валерий Артемович, 1941 года рождения, кличка «Валера Тифлисский».

232. Худоян Георгий Шамилович, 1954 года рождения.

233. Хейранов Леван Михайлович, 1958 года рождения.

234. Хачатрян Ваган Аникович, 1949 года рождения, кличка «Васька Армян».

235. Цижба Станислав Леонидович, 1957 года рождения, кличка «Пака».

236. Цхвитава Георгий Гивиевич, 1962 года рождения, кличка «Гиви».

237. Цихелашвили Датико Павлович, 1951 года рождения, кличка «Дато».

238. Цандеков Аркадий Григорьевич, 1961 года рождения, клички «Аркан» и «Аркашка», конец срока 27.11.1994 г., вид режима — особый.

239. Цегоев Хазби Сергеевич, 1950 года рождения, кличка «Казбек».

240. Цинцадзе Альберт Геронтьевич, 1941 года рождения, кличка «Михо».

241. Цулукидзе Занди Андреевич, 1947 года рождения, кличка «Занди», конец срока 12.04.2001 г., вид режима — особый.

242. Цомая Тариел Стариевич, 1955 года рождения, кличка «Чачо».

243. Цхвирашвили Борис Каллистратович, 1949 года рождения, кличка «Боря Грузин».

244. Церцвадзе Тариел Сергеевич, 1961 года рождения.

245. Чернигов Иван Тихонович, 1934 года рождения, кличка «Иван Рука».

246. Чачанидзе Вахтанг Георгиевич, 1950 года рождения.

247. Чиковани Коки Константинович, 1938 года рождения, кличка «Кокиния».

248. Чатрикашвили Давид Эльгуджевич, 1960 года рождения, клички «Дато», «Чита» и «Читрак», конец срока 27.08.1995 г., вид режима — строгий.

249. Члаидзе Паата Гайзович, 1955 года рождения, кличка «Паат Большой», инвалид второй группы.

250. Чеишвили Мираб Георгиевич, 1961 года рождения.

251. Черников Вячеслав Петрович, 1957 года рождения, кличка «Славка Тамбовский».

252. Чичинадзе Тенгиз Гурамович, 1962 года рождения, кличка «Тенгиз».

253. Шмидт Евгений Павлович, 1920 года рождения.

254. Шевченко Анатолий Григорьевич, 1958 года рождения, кличка «Шевчик».

255. Шушаношвили Лаша Павлович, 1961 года рождения, кличка «Лаша Руставский».

256. Шидаков Аубекар Ханакиевич, 1956 года рождения, кличка «Алтын».

257. Шишкин Лев Николаевич, 1946 года рождения, кличка «Лева Пензяк».

258. Шайхутдинов Фаниль Канзельганович, 1954 года рождения, кличка «Афоня».

259. Ширимов Зохрад Шерим-оглы, 1960 года рождения, кличка «Зохрад», конец срока 4.03.1995 г., вид режима — строгий.

260. Шаврешиани Мевлуд Гелаевич, 1951 года рождения.

261. Щелоков Владимир Сергеевич, 1956 года рождения, кличка «Алмаз».

262. Эхвая Вахтанг Орденович, 1957 года рождения, клички «Вахтанг» и «Ваха».

263. Эрчеилидзе Нукзар Шотаевич, 1956 года рождения, кличка «Нукзар», конец срока 20.01.2002 г., вид режима — особый.

264. Эбрамидзе Амиран Шотаевич, 1946 года рождения, кличка «Амиран Лачхутский», конец срока 20.12.1997 г., вид режима — особый, наркоман.

265. Юсупов Олим, 1938 года рождения, кличка «Дед».

266. Якушкин Владимир Михайлович, 1952 года рождения, кличка «Узбек», конец срока 3.02.1995 г., вид режима — особый.

СОДЕРЖАНИЕ

Подлесских Г., Терешонок А.

П44 Воры в законе: бросок к власти.— М.: Худож. лит., 1994.—254 с.

ISBN 5-280-03056-2

Уникальность книги Г. Подлесских и А. Терешонка «Воры в законе: бросок к власти» в том, что она написана на материалах оперативной работы, которую вели сотрудники Комитета госбезопасности, внедренные в уголовную среду.

Впервые показан тайный механизм работы КГБ в преступном мире.

В приложении публикуется список воров в законе, действующих на территории СНГ.

П $\frac{1203020100-65}{028(01)-94}$ без объявл. **ББК 67.99(2)116.2**

ГЕОРГИЙ ЮРЬЕВИЧ ПОДЛЕССКИХ

АНДРЕЙ ЯКОВЛЕВИЧ ТЕРЕШОНОК

**ВОРЫ В ЗАКОНЕ:
БРОСОК К ВЛАСТИ**

Заведующий редакцией *Г Иванов*

Редактор *В. Максимов*

Художественный редактор *Е. Ененко*

Технический редактор *Л. Синицына*

Корректоры *Г Володина, Т Сидорова*

ИБ № 7608
Издат лицензия ЛР № 010153 от 27 декабря 1991 г
Сдано в набор 17.02.94. Подписано в печать 19.04.94. Формат 70×100 1/32. Бумага офсет. № 1 Гарнитура «Таймс» Печать высокая. Усл. печ. л. 10,37 + альбом = 10,69. Усл. кр.-отт. 12,96. Уч.-изд. л. 10,42 + альбом = 10,75 Тираж 75 000 экз Изд. № III-4593. Заказ 2619. «С» — 065

Ордена Трудового Красного Знамени издательство «Художественная литература» 107882, ГСП, Москва, Б-78, Ново-Басманная, 19

При участии СТ «САМОЦВЕТ»
Москва, Сретенский бульвар, д. 9/2.
Отпечатано с готовых диапозитивов в ордена Трудового Красного Знамени ПО «Детская книга» Роскомпечати. 127018, Москва, Сущевский вал, 49

Отпечатано с фотополимерных форм «Целлофот»

Printed In Russia

ВНИМАНИЕ!

Издательством **«Самоцвет»** готовятся к печати следующие книги:

А. И. Гуров, В. Н. Рябинин **«Исповедь вора в законе».**

Эта книга о судьбе конкретного человека, о внутренней жизни профессионального преступного мира, о жестоком времени и жестоких законах одной из опаснейших группировок «Воры в законе».

А. И. Гуров **«Красная мафия».**

В этой книге на большом фактическом материале показаны истоки и специфика отечественной мафии, впервые приводятся официальные документы и постановления преступного мира, в том числе кодекс воров, конкретные разоблачения мафиозных групп и их коррумпированных покровителей. Проливается свет на тайны «красной ртути» и трансферта 140 миллиардов рублей и многое другое. Описываются кровавые разборки мафиозных кланов, действия сыщиков и чекистов по их предотвращению. Уточняются причины и детали самоубийств некоторых высокопоставленных чиновников, в том числе Щелокова и Крылова, скорых расстрелов раскаявшихся расхитителей государственного имущества в крупных размерах.

Книга заканчивается структурой нашей мафии и неутешительным прогнозом.

Зак. 2619. Кручинина.